JN072407

頭がいい人の説明は
なぜ伝わりやすいのか

齋藤 孝

宝島
SUGOI
文庫

宝島社

はじめに

頭の中で考えていることを、会話などを通じて人に伝える行為は、わたしたちが日常生活で行っているもっとも基本的なコミュニケーションです。一般に頭がいい人と言われる人の説明は、秩序立っていて論理的です。だからこそ意図が聞く側に伝わるのです。

しかし、論理的なだけでも人の心には響かないものです。言葉や文字を本当の意味で相手に届かせるにはパッションも必要です。パッションを直観と置き換えてもいいでしょう。

頭のいい人は、常に論理と直観の両方をバランスよく保ちつつ、日常の会話や会議などで、わかりやすい説明をしているのです。

論理的に話すことの最大のメリットは、相手に自分の考えを、すっきりと理解してもらえるという点にあります。せっかくあなたが素晴らしいアイデアを持っていたとしても、それを論理的に伝えることができなければ、「あの人は、いつも何を言っているのかわからない」という評価をされてしまいます。

一方で、必ずしも論理的でなくても、直観力があり、発想が豊かな人が世の中にはたくさんいることも事実です。

わたし自身の経験で言えば、あるテレビ番組のプロデューサー氏が、非常に奇抜で突拍子もないアイデアの持ち主でありながら（仮にその人をAさんとしましょう）、その話し方は決して論理的とは言えないものでした。ほとばしるパッションは伝わってくるのですが、一度聞いただけで一般人が理解できるようなトークではなかったのです。

ところが、長年のAさんの同僚で、彼の思考の癖を把握しているBさんというスタッフがわたしたちの間に入り、あたかも通訳のようにAさんのアイデアを再構成して言語化し、上手に整理してわかりやすく解説してくれたのでした。おかげで、Aさんの斬新な発想を会議の参加者みんなが共有することができたというわけです。

つまり、この作業をAさんとBさんの2人一役ではなく、いつもひとりで行うことができるのが理想です。本書は、そうした論理と直観を伝える手助けになればと思い筆を執った一冊です。

そのためには、論理的とはどういうことなのか、直観はどう言語化できるのか、具体的にどんなトレーニングをすればいいのかを、「知の技」として習得しておく必要があります。説明力を備えた頭のいい人になるために、わたしたちは今日から何をすべきなのか。これからこの本の中で皆さんと一緒に考えていければと思います。

三章　フォーマット思考を身につけよう

四章　要約して伝える技術をマスターする

五章　メディアリテラシーと伝達力の微妙な関係

六章　パワーはロジックを超える

一章

直感と閃《ひらめ》きを鍛えて伝達力を高めよう

直感力

論理的に話すということは、言い換えれば、「直感」というモヤっとしたもの、言語化しにくい不明瞭なものを、上手に整理して相手に伝えることです。つまり、論理とは頭の中に浮かんだ直感を、いかにして生かすことができるか、ということなのです。

直感の生かし方とはどういうことなのか。それが比較的わかりやすく表れるのが数学の証明問題です。数学といえば論理の象徴で、直感のようなあやふやなものとは無縁のようにも思えますが、実は大きく関係しています。

たとえば、「二等辺三角形の２つの底角は等しい」という法則を証明しなさいという問題が出されたとします。最終的な答えを先に言ってしまうと、

①「Aから辺BCに垂線を引き、BCとの交点をDとする」
②「三角形ABDとACDは合同になる」
③「よって∠B＝∠Cとなる」

という命題が導き出されます（次ページ図A）。ところが、実際に人が頭の中で考えるときというのは、必ずしもこの①〜③の順序と同じになるわけではありません。

まずは理屈とかけ離れた直感がパッと閃き、それに基づいて、非合理的ともいえる順序での思考が頭の中で続き、論理的な裏付けは後づけでしたりするものなのです。図を見た瞬間に
「この三角形は、２つに割ったら合同なんじゃないかな」

「だったら、補助線をここの間に引いたらいけそうな気がするな」

そんな直感がまず先に浮かび、それに従って線をなんとなく引いてみたら「ほら、辻褄《つじつま》が合った」となり、「よってこういう証明が成り立ちます」という答えにたどり着くことが、実際には多いのです。

つまり、論理立てて相手に考えを示すことと、現実に自分の頭の中で起こっていることは、必ずしも一致しているわけではないのです。

これがどういうことかというと、頭の中の比重が論理のほうへ傾きすぎてしまうと、ものごとを考えるときに、たとえば数学の教科書に書いてあるとおりに、「証明の順番どおりに①、②、③と思考しよう」となってしまい、直感や発想が邪魔されて思考の幅が狭く

図A　証明

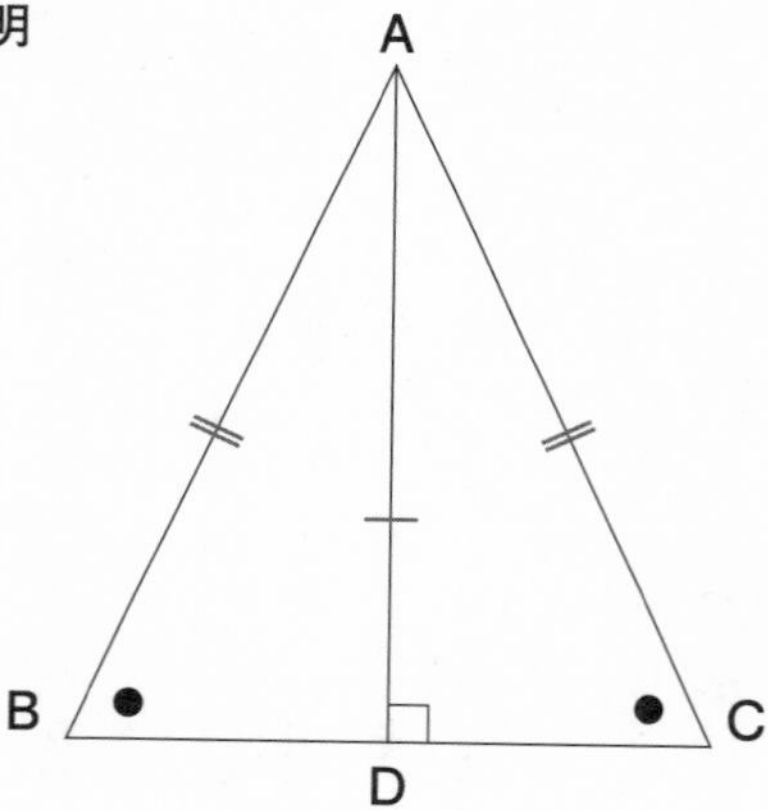

なってしまうのです。論理的に話そうと意識しすぎると、せっかくの閃きが生きてこなくなるということもあるのです。

そういう人への社会的な評価というのは、「あの人って言っていることは理屈としては正しいんだけれど、なんかセンス悪いんだよね」ということになりがちです。

あまりに論理的すぎると、場合によっては少し嘘臭く聞こえることもありますし、会話がかえって息苦しくなることさえあります。

「論理」と「直感」のバランスがちょうどいい割合で働く人は、第三者からも「できる奴だ」「知的な魅力のある人だね」という見られ方をすることでしょう。

直感と論理

「直感的」と「論理的」の差とは、言い換えると「話し言葉」と「書き言葉」の差でもあります。というのも、「論理」や「説明」という発想は、書き言葉が生まれてからできてきたもので、それ以前の時代の人というのは、実はそれほど論理的な話し方はしていなかったと言われています。

書物が初めて書かれた頃の日本では、人々は今の時代のようなレベルでのアウトプットはできていなかったのです。

たとえば、日本最古の歴史書である『古事記』が編纂《へんさん》されたのは7世紀後半から8世紀初頭と言われており、おそらく日本人が文字という道具を獲得してから初めて作った書物とされています。

つまり、まだ直感的な話し言葉しかなかった時代の発想で書かれているわけです。そのせいか、読んでみるとたしかに物語としてはおもしろいのですが、あれがはたして論理的な文章かと言われると、なかなか素直に首を縦に振ることはできません。

読んだ方はご存知かと思いますが、論理的というよりは、話がばらばらと散らばっているような印象を受けると思います。

これと正反対に位置する対照的な書物が、民法や刑法、民事訴訟法、刑事訴訟法など、法体系をまとめたものでしょう。法律に詳しくない誰が見ても目次で一発でわかるように、秩序立ててくっきりと整理されています。いわば論理的な構成の象徴と言っていいでしょう。

つまり、思考には「文字のない思考」と「文字での思考」という2つがあるということなのです。

「審判の目」を持つ

論理が身についてくると、そうでなかったときにできなかったことが、ときに容易にできてしまうことがあります。

たとえば、競技における審判というのは、普通はその競技に何年も携わり、ルールや構造、仕組みに精通している必要があります。つまり、その世界のベテランであることが絶対的な条件となります。ところが、競技を論理的に分解することで、ベテランでなくとも「今のはたぶん、ポイントだな」ということが見えてくるようになるのです。

わたしは、大学で居合道部の部長をしていたのですが（わたし自身は居合の経験はありません）、初めて居合を観戦したときに、どちらが勝ちか負けかを、審判が手を挙げる前に書き込むという練習をやってみたのです。結果は、優勝者が決まった決勝までの試合の中で、審判の判定と答えが違ったのが1試合だけで、あとは全部当たっていました。

ご存知の方もおられると思いますが、居合道の試合というのは、選手が2人同時に、それぞれ違う型を演じて戦うので、特に初めて見る場合は、審判どころか演武の内容を目で追うことだけでも大変です。

わたしは普段、居合道の試合というものをほとんど見たことがありませんでしたし、選手についての予備情報もなく、型もよく知りませんでした。

では、なぜ判定をほとんど間違えなかったのか。ひとことで言ってしまうと、「審判の見る目（といってもわたしの想像ですが）」という審査基準を、自分の中で内在化させたからです。

頭の中で審判の視点をイメージし、たとえば、

「軸がぶれてないか」
「動きがぎこちなくないか」
「呼吸は乱れていないか」
「相手をしっかり想定して切っているか」
「総合的な体のキレと気迫はどうか」

というようなことを自分なりに分析していくと、「ポイントは5つぐらいだな」と、なんとなくわかってくるのです。

仮にこれを、「気合いの声の大きさ」という一点だけで審査してしまったら事実を見誤りますし、スピードだけ見ても答えは同じです。そういう感覚的なものが、急に見えてくるということがあるのです。

つまり、論理的に競技を見ることができると、評価する側の審査基準や観点を内在化させることができ、競技そのものを理解できるようになるということです。言い換えれば、「審判目線」にならないと、やみくもに練習をするだけでは、スポーツはうまくならないケースが多いということでもあります。

大学の入試試験では、採点者の視点をまったく持っていない受験生は、問題の傾向を分析することができないため、対策が後手にまわって合格も難しくなります。企業で言えば、人事部の評価基準がわかっていないと、出世はおぼつかないという話と同じでしょう。サッカーでは、指揮官の意図を理解する選手は優秀と評価されます。どんなに素晴らしい個人スキルを持っていても、最終的には監督の意図を理解したプレーが求められます。

40歳になる今も、ブンデスリーガのフランクフルトに所属する長谷部誠選手は、日本代表でもドイツのどこのチームに行っても信頼され、結果も残しています。共通しているのは、どの監督からも「ハセベは戦術の理解度が高い」という評価をされてきた点です。

しかも長谷部選手はドイツ語もできますから、試合に出れば、内在化させた監督の視点で他の選手たちに指示し、自らもプレーするわけです。高評価の理由はそこにあります。

論理的と聞くと、なぜか「孤立」や「独立的」といった孤高のイメージを持つ人も多いようですが、実際には常に相手が何を今求めているのかを探り、それに優先順位をつけて行動するというのが基本です。

相手の望めているところを先回りして理解するというコミュニケーションの要素が、実は論理的であることの背景には隠されているのです。

システムシンキング

論理的な考え方ができる人というのは、「システムシンキング」ができるということでもあります。これを別の言い方にすると「大局的な見方」です。ものごと全体を俯瞰《ふかん》しながら、複雑に入り組んだ要因と要因の因果関係を、早く正確に把握する思考法です。ピーター・センゲの『学習する組織』はシステムシンキングの先駆的著作ですが、この本では、ものごと全体の因果関係を図にして把握する手法が紹介されています。

日本の資本主義の父と呼ばれる渋沢栄一も、「全体」を見るという論理的な能力を持っている一人でした。

幕臣として一橋慶喜《よしのぶ》に仕えつつ、1860年代に欧州を視察して、当時の先進的な社会を見て感銘を受けます。特筆すべきは彼の卓越した着眼点でした。普通の人が、

「ヨーロッパの橋はすごいな」「さすが街並みが美しい」「レストランがおしゃれだ」

などと感心して終わるところを、

「銀行という金融システムは画期的だ」「株式会社の概念は素晴らしい」「下水道の仕組みはものすごい」

というように、欧州社会の先進性をシステムという構造で捉えたのです。

橋や建物といった表面的な事象ではなく、どうやったら日本にも欧州のシステムを持っていけるか、それを真剣に考えたのです。個別の美しさやかっこよさではなく、社会や経済の大きな流れをシステムとして論理的に理解したのが渋沢でした。

従って、たくさんの幕臣らが同じように視察に行ったはずですが、同じ場所にいながらも見て得たものはまったく違いました。

つまり、システムシンキングができる人とできない人では、同じ空間にいても見るものや感じることが異なるのです。

たとえば、システムシンキングと正反対なタイプが、いわゆる「木を見て森を見ず」という思考の人たちです。

森全体を俯瞰する感覚がないために、巷《ちまた》に溢《あふ》れるいろいろな情報に振り回されて問題の解決にたどり着けません。そういう人が、もしタイムスリップして渋沢栄一と欧州視察をしたとしても、「下水道のシステム、すごいぞ」という視点を持つことは難しいでしょう。

論理的でシステムシンキングができる人は、そういった右往左往タイプの人に対し、「まず全体像はこうですね」と伝えたうえで、その全体の中で「今問題となっているのはこのポイントAです」「考えられる対処法は、B、C、Dの3択です」「あなたの言うXやYは全体ではこの位置にあり、今回は無関係です」というように、事の本質を短時間で正確に伝えることができるのです。

これは、職業で言えば外科医がその典型です。検診結果から、「全体から見た問題の本質は、○○です」と明らかにし、「対処法はA、B、Cの3つ、それぞれの可能性に関するデータはこのとおりです、リスクはそれぞれこのとおりです、放置した場合の致死率はこのとおりです、どれを選びますか」と合理的に選択肢を示すことができます。

論理的な会話ができる人というのは、別の言い方をすると「外科医の思考」ができる人とも言えるのです。会話のキーワードを瞬時に摑まえて、「ポイントはここですね」と理解してあげることで、大事なところにくっきりと焦点が合わさった会話が構成されます。

カウンセラー的なアプローチのように、時間をかけて悩みや心情を聞きながら、じわじわと本質に近づくのとは対照的です。外科医は、問題の本質を手術するようにスパッと取り出します。どちらが良いか悪いかではなく、タイプの違いです。

外科医的なアプローチを「冷たい」「情がない」と感じる人もいれば、カウンセラー的な聞き方を「回りくどい」「先に結論をください」とじれったく思う人もいるでしょう。

そのあたりの捉え方は日本と外国では違うかもしれません。日本の場合は、論理に感情を多少まぶすほうが温かみが出ていいと感じる人は多いでしょう。

結局のところ、論理にはちょうどいい量の主観を色合いとして付けながら、バランスよく話すのが理想ということなのでしょう。

本質を突く

さて、ここまで本質という言葉が何度か出てきました。実は、論理を考えるうえで重要なことのひとつが、その会話や文章がはたして本質的かどうかという点です。本質的とは、別の言い方では「的を射ている」かどうかです。つまり「話が大事なところにヒットしている」かということです。

論理的に話すには、本質を突いた、そして的を射抜いた話し方が求められます。いくら論理的でも本質がズレていては意味がないのです。

実際、論理的な雰囲気をまといながら、本質を全然突けていない話し方もあるのです。

図 B

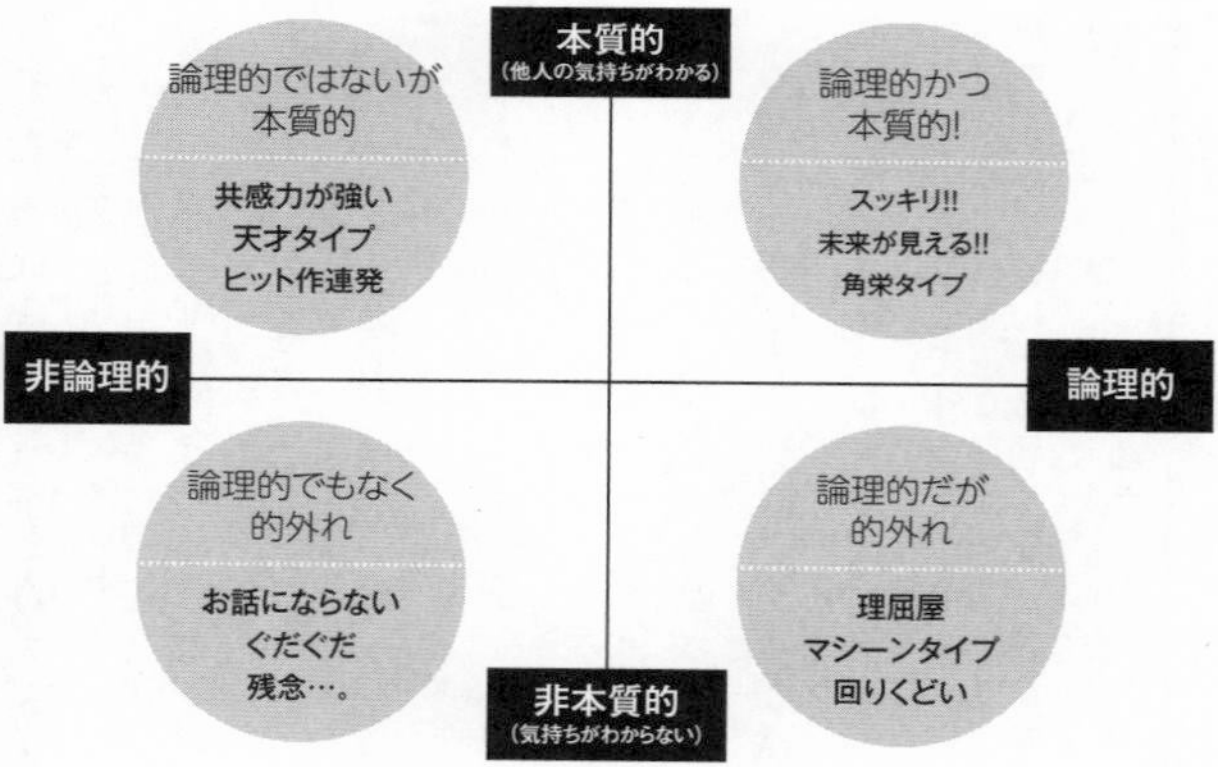

悪い意味での国会答弁のようなもので、本質をはぐらかしているために、論理的でありながらも、話は一向にすっきりしません。いわば、回りくどいタイプの論理性です。

つまり、ひとことで論理的といっても、本質的か否かでいくつかのパターンがあるということです。

これを試しに4分割したのが上の図です(図B)。もっとも理想的なのが、論理的であり本質的でもあるというタイプで、図で言えば右上のゾーンに行くほど素晴らしいということになります。

この典型例の一人が第六十四代内閣総理大臣・田中角栄です。感覚的でありながら、併せてデータも出しつつ、ズバッと的を射抜く演説ができたため、多くの聴衆は心を震わせたわけです。

それができたのは、相手が何を求めているかを常にリサーチし、そこへ向けた言葉を選んで発していたからです。そこへ田中本人の個性的な魅力も合わさり、結果的に「論理的かつ本質的」という形になったわけです。実際、政治家でなくても、誰かの前で話をしたり、文章を書いたりするためには、「今日の聴衆はどういった層なのか」「昨今の読者の傾向はどうなのか」といったリサーチは不可欠です。

わたしも講演に呼ばれることがありますが、どういう層が聴きに来てくれているかによって、話の内容は変えています。相手の求めるものがどこにあるのかを考え、そこへ向けた話をわかりやすく順序立てて伝えるということが大切です。

一方で、非論理的なのに本質を突いているという天才タイプもいます。「この人の言っていることって、ごちゃごちゃしていてよくわからないけれども、言うとおりにやると結局はヒットするんだよな」というような人も世の中にはいるのです。

冒頭の「はじめに」のところで挙げたテレビプロデューサーA氏などがまさにそのタイプでしょう。

そして、もっとも残念なのが、非論理的で非本質的というタイプです。話が冗長でときに違う方向へそれてしまい、時系列もわかりにくく、要するに何を言いたいのかわからないという人です。ゾーンで言えば、左下ということになります。

自分や周りの人の会話や文章が、四分割したどのあたりに位置しているか、図に落とし込んで確認してみてもいいでしょう。

もやもやしたものに名前をタグ付け

論理的なのに本質的でないため、話が相手の心に届かないことがあるというお話をしました。どこの世界にもこのタイプは多く見かけます。テレビ業界でも、高学歴で頭はいいし、話も理路整然として間違ってはいないのに、なぜかその人が立ち上げる企画はどれもヒットせず、よって業界内での評価も芳しくないということもあります。

一方、先のAさんのように、あまりに直感に頼りすぎというのも困りものです。プレゼンが感覚的になりすぎてしまい、〝通訳〟をしてくれる同僚のBさんがいないと、企画会議で周囲の人間にプレゼンできないわけですから、これはこれで「直感を生かせていない」ということになります。

つまり、人は「論理」と「直感」をバランスよく保つことが必要で、どちらに傾きすぎても弊害があるということです。片方の手で「論理」を、もう片方の手で「直感」をつかむように思考するのが理想的と言えるでしょう。

では、「論理」と「直感」とはどういう関係性にあるのでしょうか。

「直感」で捉えたものに、言葉という〝名前〟を付け、可視化する行為こそが「論理」です。直感は、あなたの頭の中だけにある主観的なものですから、それを他人に説明するためには、共通言語となる〝名前〟を付けてあげなければなりません。

〝名前〟には言葉が必要ですから、そこには当然ながら語彙《ごい》力も求められます。語彙力とは、あなたがどれだけ多くの言葉を知っているかという大切な指標です。

「実はヤバいこと思いついたんだけどさ」

企画会議でいくらそう言ったとしても、相手にはあなたの考えはさっぱり伝わりません。自分が思いついた「ヤバい」という直感に、〝名前〟というタグを付けてあげるという、自分以外の人にも共有できるようにする作業が必要です。

このように、頭の中のあやふやな意識に、ぴったりの名前を探し出してあげるという作

図C

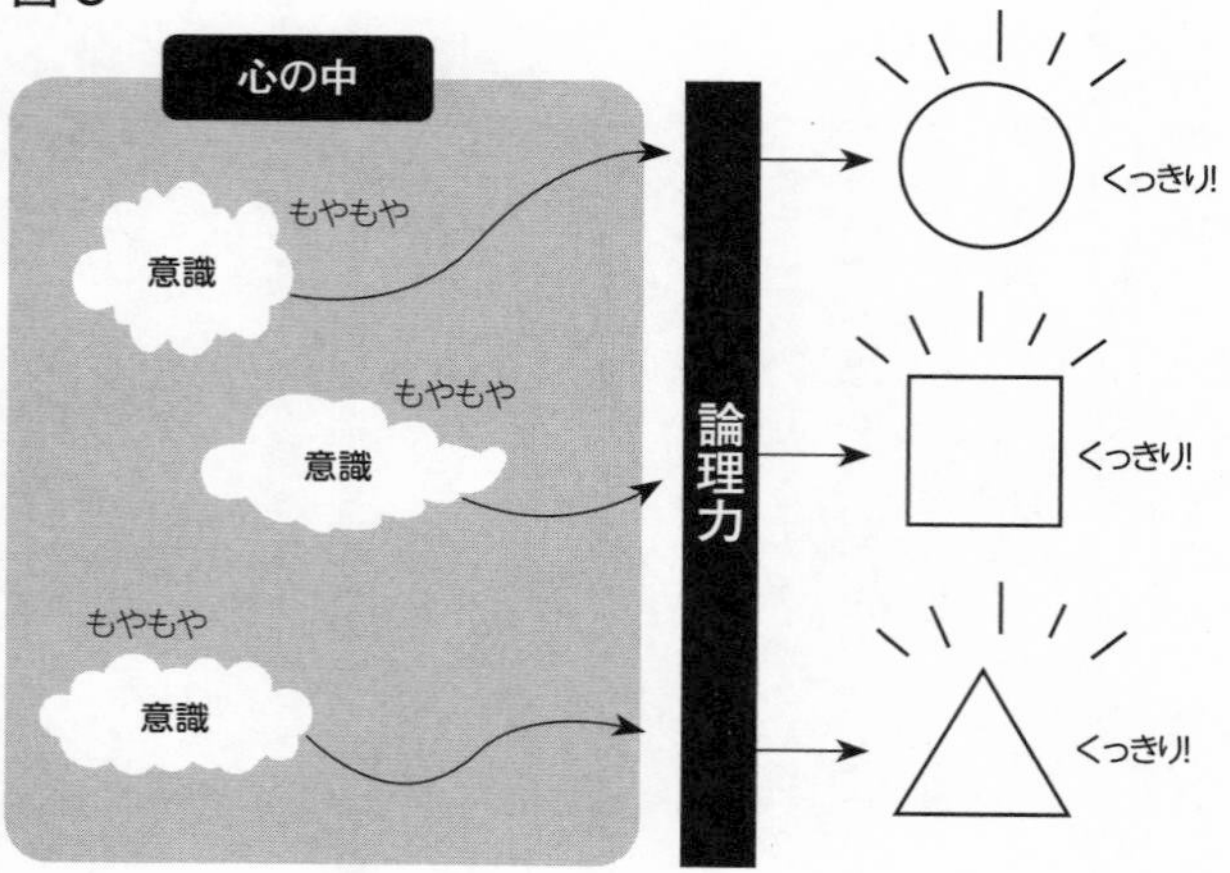

業のひとつに、「フォーカシング」という技法があります。アメリカの心理学者であるユージン・ジェンドリン博士が提唱したものです。

簡単に言うと、人の悩みとは「もやっとしたもの」であり、その「もやっとしたもの」に言葉を与えて、しっかりと意識でつかまえることにより、心身の回復効果を図るという考えです（図C）。

「もやっとしたもの」に焦点をあてる、つまりフォーカスすることによって、感覚の正体をつかまえ、それに名前を付ける。

「この感情の正体は何なのだろう」

「これは恨みなんだろうか」

「いや、嫉妬なのか」

というように、「もやっとしたもの」にできるだけ近い言葉を探す作業をする。すると、その言葉がハンドルのような役割をはたし、今まで「もやっとしていたもの」を意識の中から形として取り出し、頭の中でしっかりとつかむことができるようになります。

こうした「もやっとした」直感力というものは、限られた人にのみ備わる特別な能力というわけではありません。多かれ少なかれ、ある程度は誰にでもあるものです。ただ、それをどう上手に言葉でタグ付けできるのか、そこに個人差が出てきます。

たとえば、小学校の低学年の子に「今の気持ちを言葉で説明してみて」と言っても、「うんとね、えっとね、なんかこれさ」という具合に、一生懸命に伝えようとしても、なかなか上手に言えないということは多いと思います。まだ語彙力に乏しいうえ、人生における経験の蓄積が少ないため、自分の発想を最適な言葉でタグ付けする作業に慣れていないのです。

一方、ある程度の年齢を重ねた大人であれば、小学生の子どもよりは上手に説明することができるでしょう。とはいえ、そこにも個人差はあり、直感を上手にスパっと伝えられる人と、そうでない人との差は生じることになります。それがつまり、人として論理的かそうでないかということになるわけです。

「ヤバい」「超〜」じゃ伝わらない

直感を上手に伝えられないケースの多くは、「ヤバい」「かわいい」「超〜」というような、簡略化された感覚的な言葉に頼りすぎて、それだけですべての説明を済ませてしまうという場合に起こります。

実際、高校生のカップルが映画を一緒に観に行った場合など、「ヤバかったね」「うん、超ヤバかった」でお互いの気持ちはけっこう伝わるものです。

ただ、それは二人が同じものを一緒に観たという事実が前提としてあるからです。同じように、二人で一緒に子犬を見ていれば「超かわいい〜」だけで、お互いが感じていることはおおむね伝わることでしょう。

ところが、その犬を見ていない彼氏に、彼女がいくら「マジかわいかったよ。もうヤバいくらい」と繰り返しても、一体どうヤバいのか、どういう種類のかわいさなのかは彼氏には伝わりません。

あるいは、映画を観たのが彼氏だけで、「観たけどマジすごかったよ、アクションとかヤバいって」と言うだけでは、ほとんどのハリウッド映画のアクションはすごいわけですから、彼女にしてみたら「どうヤバいの？」ということになってしまいます。

「ヤバい」や「かわいい」といった便利な言葉を使うことに慣れすぎてしまい、そうした言葉が本当の意味で自分の直感やイメージを正確に言い当てているのか、あまり深く考えていないということなのです。

直感とは「言語化されていないイメージ」と言い換えることもできます。イメージとは頭の中に浮かんでいる映像のようなものですから、このイメージを写真に撮影して相手に見せることができれば、かなりの精度で直感を伝えられるでしょう。

実際、絵を描くのが上手な人は、プレゼンテーションも得意という場合がけっこうあります。「実際の仕上がりはこうなります」とわかりやすく絵で描いてもらうと、相手は一発で理解できてしまいます。

出版業界でも器用な編集者の中には、書籍の企画をプレゼンする際に、表紙までイメージで作り上げて、「こういう本になります」と視覚的に説明してくれる人もいます。

そうなると、聞いている側からすれば、イメージが具体化され、まるで本が出来上がったような気になるものです。この絵を描くことと論理性の関係については、三章であらためて触れることにします。

オリジナリティとは直感や閃き

テレビ番組の制作会社の人が、ドラマの企画を局に提案するような場合、当然ながらそのストーリーは、ドラマ全体のイメージとともに、自分の頭の中に入っているはずです。

そのイメージをより正確にスタッフ全員に伝えるために、基本的には企画書というフォーマットに落とし込むわけですが、その作業が苦手な人は、この企画書の段階で「さて、どうしたものか」と悩むわけです。

「男女が最初はうまくいくけれど距離ができ、あとでまたくっつく。それでもまた喧嘩して離れて、でも仲直りして、最後は結ばれます」と書いてしまえば「まあ、ドラマって大体そうでしょ」という反応になって、おそらく話を聞いてもらえません。つまりは企画が通らないということです。「要するに、このドラマのオリジナリティはどこなの」と逆に突っ込まれてしまうでしょう。

この「オリジナリティ」こそが、先ほどから言っている「直感」や「閃き」に相当する部分で、企画として伝えなければならないもっとも重要な部分なのです。

では、どのように話せば、直感や閃き、すなわちオリジナリティが相手に伝わるのでしょうか。ここで皆さんに強くお勧めしたいのが、ポイントを先にズバっと伝えてしまう話し方です。

「今回はこれが新しい」「これこそが売りだ」というオリジナリティの部分を、真っ先に打ち出す話し方を習慣づけるということです。

つまり、自分が一番伝えたい肝の部分を、プレゼンのド頭から話し始めるということです。

「まず、新しい点はですね」「今回、角度を変えてみたのは」

そんな表現でもいいかもしれません。要は、回りくどい言い方をせずに、「今までのドラマはこういう筋書きが常識でしたが、今回はここをこのように変えてみます」と、一番重要なポイントを最初から相手にぶつける癖をつけてしまうことです。

結局のところ、会議に参加しているスタッフが知りたいのは、「何が他と違うのか」「ポイントはどこなのか」という一点につきるわけですから、そこを一発目に伝えてあげるのはとても合理的なやり方だと言えます。

どんな会議や話し合いにも言えることですが、まずは「今までの常識はこうである」という前提の確認から入り、そのうえで「で、今回は……」とつなげていくのが基本の流れです。ドラマの企画会議でもそれは同様で、たいていは「ヒットした恋愛ドラマの作りって、一般的にはこうなっていますよね」というような暗黙の確認作業からスタートし、

「そのうえで今回はここをアレンジしました」
「ここがこの企画のオリジナリティです」
「この点が今までにない新しい設定です」

というふうに、話を展開しながらポイントを確認していくことになります。

このように、「オリジナル」や「アイデア」という言葉を、意識して口に出して使ってみるのも、相手に独自性を伝えるうえで有効な方法です。

オリジナリティの源泉は直感力や閃きです。したがって、直感や閃きがない人の企画というのは、たとえ説明が表面的に上手でも、企画の中身はどうしてもおもしろみに欠けてしまいます。22ページの4分割に分けた図で言えば、右下の「理屈屋タイプ」のゾーンに

位置するでしょう。

ありがちなストーリーでいいのであれば、何も直感に頼らずとも、ネットで調べればいろいろな物語が出てきますから、それをフォーマットにして筋書きをアレンジすれば、ドラマとしての形を作ることは難しくありません。

しかし、それではおそらく企画は通りませんし、万が一通ってしまっても、ヒットする可能性は低いでしょう。

どんな仕事でも、おもしろい発想を生むには閃きが必要です。自身の「閃き力」を鍛えていくためにも、常に直感を意識し、その部分で勝負をする、つまり、「これが僕の直感（＝オリジナリティ）です」とはっきり口に出して相手に伝える習慣を身につけることが重要になるでしょう。

直感とは、その人が持つ独自の「視点」と言うこともできます。したがって、先ほどの「オリジナリティ」や「アイデア」の部分を、「視点」という言葉に置き換えて、「今回の企画では、ここに視点を置いてみました」「視点を大胆に変えてみました」という言い方をすると、聞いている側は「お、おもしろそうだな」という印象を持つものです。ひとつの話法として覚えておくと役に立つと思います。

ヒットする作品の理由を考える

世の中でヒットするコンテンツには理由があります。少し前ですが、『逃げるは恥だが役に立つ』（TBS系）というテレビドラマが2016年に放送され、視聴率を稼ぎましたが、人気を集めた理由はどこにあったのでしょうか。

もちろん、役者さんたち一人ひとりの個性や演技、監督さんの演出などが魅力的だったことはあると思いますが、かといって同じ俳優陣や制作スタッフが揃ったとしても、次のドラマも必ずヒットするとは限りません。

やはり、脚本や原作の中に、観る側の心を捉える光るものがなければ、視聴者を継続して惹きつけることは簡単ではないのです。

そこで、たとえば『逃げ恥』のようにヒットしたコンテンツを教材にして、ドラマのオリジナリティはどこにあったのか、どの部分が独自の視点でおもしろかったのかを自分なりに分析して拾い出し、言葉にして書き出してみるのも、論理性を身につけるトレーニングとしては非常に有効です。

同時に、それをすることによって、制作スタッフがどんな直感を働かせ、どのようにアイデアを膨らませていったかを、想像の中で理解していくことにもつながります。

もともとはどんな発想から企画が産声を上げたのか、疑似体験の中で実感できるということです。

ドラマをご覧になった方はおわかりかもしれませんが、あの作品のキーワードのひとつは「契約」です。通常、結婚と言えば「愛し合っているから結婚する」というのが常識ですが、『逃げ恥』では「結婚とは元来、社会的な契約である」という、あくまで「制度」や「ルール」といった考えが物語の基軸となっています。

主人公の二人は、家事という労働契約を基に、いわば「雇用のための結婚」をします。二人は「夫と妻」というよりは、心理的には「雇い主と従業員」のような関係性を有しており、こうしたカップルの関係性は、今までの恋愛ドラマになかった設定と言えます。「惚れた、腫れた」や「愛だ、恋だ」とは別次元の、偽装結婚のような間柄から物語が展開していくというのは、斬新かつ新鮮です。

したがって、企画者がプレゼンの会議の場で「この偽装結婚という点が今回のポイントです」という説明から入り、「既存の恋愛ドラマは愛し合って結婚し、その後にケンカしたり仲直りしたりの繰り返しですが、今回の話は赤の他人のような感情から、徐々に互いの心が溶けて恋愛に移っていく」「つまりオリジナリティはここです」という流れで説明をしていくと、聞いている側は「なるほど、独自の視点だ」「おもしろいかもしれない」となり、少なくとも聞く気持ちにはなってくれるでしょう。何より、企画意図を端的かつ正確に伝えることができます。

このように、ドラマ以外でも、漫画や映画、ＹｏｕＴｕｂｅにアップされている動画など、なんでもかまいませんから、おもしろそうなコンテンツを練習問題として拾い出してみて、「なぜこれが世の中で人気があるのだろう」「ここにどんな企画者の閃きがあったのだろう」と考えてみることは、論理性と直感力を磨くうえで非常に役立ちます。

それらのコンテンツを生み出した人たちが、どこかの段階で「これはいける！」と感じた瞬間があるはずですし、「これとこれを組み合わせて、こういう形でやったらもっとおもしろいかも」と閃きを発展させたポイントがあるはずなのです。

想像や妄想込みでもかまいません。気になった作品をじっくりと見ながら、一連の流れを頭の中で整理し、自分に対して言葉で説明してみるという習慣を身につけていくことです。

そうするうちに、「世の中でヒットするってこういうことなのかな」「売れるってこういう閃きがもとになっているのかな」というヒントのようなものが、チラっとでも感じられるときがあります。

また、すでにあるヒット作（商品）の企画書を自分で書いてみるのも、いい練習です。どんなに大ヒットした商品や番組も、はじまりは企画者の直感や閃きです。企画者はそのあやふやな感覚を社内の企画会議で通すために、一体どのようなプロセスを経て、どのような論理で良さを伝えたのか。

その過程をじっくりと分析する練習こそが、自らの論理力を強めるうえで大きな意味があるということなのです。

二章

情報の整理力が伝達スキルを上げる

視点をハッキリさせる

プレゼンテーションのテクニカルスキルのひとつとして、「目のつけどころというのは」「一番の注目点というと」「着眼したところは」といったオリジナリティの部分を、話の随所に入れていく方法をご紹介しました。

会話の重要な部分にアンダーラインが引かれる感覚です。聞いている側は話のポイントが理解しやすくなり、「なるほどね」と前のめりに聞いてくれることでしょう。

「観点」「視点」「目のつけどころ」の意味は、どれも「見る」ということです。ものごとは見るポイントにより大きく意味が変わってくるというのが大事なところです。象という動物も、真後ろから見たら鼻が長いことすらわかりません。見る角度によってモノの見え方は大きく違うのです。

論理的であるということは、ひとつにはどの視点から見るとどうであるかを、きちんと分けて説明できるということでもあります。

ある方向から見て「AはBである」と言い切ってしまうと、それは場合によっては決めつけになってしまいます。事実を一面からしか見ていないだけであって、別方向から見たら、実はAはBでない場合もあるかもしれないからです。

前章の『逃げ恥』であれば、「結婚のスタートは100％恋愛である」と決めつけてしまえば、恋愛ドラマの発想は固まってしまうでしょう。

そうではなく、「恋愛ゼロの段階からも、家事という共同作業を通して、徐々に心が近づくという男女の関係性もあるかもしれない」とか、「そもそも雇用主と被雇用主がお互いの立場を真剣に考え合うことは、もはや愛情に近い感情と言えはしないだろうか」などと考えてみる。たとえ突拍子もない発想でもいいので、いろいろな角度から真理を探ってみることが、アイデアを豊かに膨らませていくうえでとても重要なのです。

ひとつの方向からの見方で決めつけずに、たくさんの視点を持っている人というのは、ものごとの全体を冷静に見渡す心の習慣がついている人でもあります。

こうした柔軟な観点を持つ人は、自分の直感や閃きを感じたときも、「今のこの直感って、自分がどの観点から見ているうえでの着想だろう」ということを常に意識しています。

たとえば、自分という視点からいったん離れ、極論すれば飼っている猫の視点や、大空を飛んでいる鳥の観点から人間という生き物を眺めてみたっていいわけです。

仮に自分の頭の中にパッと浮かんだ閃きが、「あ、これは動物の側から人間世界を眺めた視点での閃きだな」と自覚できれば、「よし、じゃあこの発想を広げて動物を主人公にした物語を作るとおもしろいかもしれない」とつながっていくことになります。漱石の『吾輩は猫である』なども、そうした自由で大胆な視点から生まれた作品といえるのです。

視点の重要性というものをもう少し別の角度から考えてみましょう。テレビや広告、書籍というものは、程度の差こそあれ、すべて顧客ターゲットが定められています。

たとえば、「F1層《ワン》」とか「F2層《ツー》」という言葉を耳にしたこともあるでしょう。ターゲットとなる顧客の性別と年齢別区分を表したマーケティング用語の一種です。「F」というのはFemale（女性）の略で、F1層とは20歳～34歳、F2層が35歳～49歳、F3層が50歳以上のそれぞれ女性を指しています（対して男性はM1、M2……と表します）。

「今回のドラマはF2狙いなんだよね」ということなら、その企画は主に30代半ばから40代の女性をターゲットにした内容ということですから、当然ながら企画の立ち上げには30代、40代の女性の視点が求められます。

「今回のドラマはここがポイントになります」「ここがオリジナリティです」と提案した場合、それは一体誰にとってのポイントなのか、誰から見たときのオリジナリティなのかを意識しなくてはなりません。

企画書を書いた人が20代男性で、いくらその人の立場から見て「意外」で「オリジナル」に見えても、F2層から見て「そんなの今さらオリジナルでも何でもないじゃん」となってしまえば、その企画はピントがずれているということになります。

先ほど、たくさんの視点を持っている人は、ものごとの全体を冷静に見渡す心の習慣がついている人と述べましたが、まさにそういうことなのです。

逆に言うと、非論理的な人ほど近視眼的で、「わたしが、わたしが」となってしまい、自意識が強く出すぎるあまりに、多様な視点を持つことができません。自分にしか興味を持てない人は、自分以外の他人や周囲への関心が希薄になります。

何を考えるのも「自分」という主観が基準になってしまい、「わたしはこう感じる」「わたしはそう思わない」という発想から抜けられないのです。

もちろん、人間は感情の生き物ですから、心の中で何をどう感じるのも自由ですが、それをビジネスの場で企画や意見として主張してばかりいたら、相手からは「それって君だけの感覚の問題でしょ」と切り捨てられて終わりです。

あなたが東京出身の30代男性であったなら、40代女性の視点を通したらどう見えるだろうか、都会に住んだことがない地方の学生が見たらどうだろうか、結婚経験がない独身女性が見たらどう感じるだろうか、などと思考をめぐらしてみて下さい。客観性のある複数の視点を持ち、自分の直感や閃きを捉えるということが、論理性を考えるうえでとても大事なことなのです。

自分で自分の弁護士になる

直感や閃きという発想を言葉に換える行為は、言い換えれば「直感の代理人」のような作業を自分自身がするということです。職業にたとえて言うと弁護士という仕事がまさにそれです。

パニックに陥って自分の意見をうまく整理して主張できない依頼者の代わりに、理路整然と論理的に話して交渉してくれる人が弁護人です。

感情にまかせて、もやもやした気持ちの中で「許せない！」と絶叫するのではなく、なぜそれが許されざることなのか、なぜ損害賠償の対象なのか、主張を法律に基づいて構成し、法廷という場で論理的に話す専門家が弁護士なわけです。

「自分が自分の弁護士になってみましょう」などと言うと、意外に感じる方も多いかもしれませんが、無意識でそのような思考を繰り返す癖がついている人は、実は世の中にけっこうたくさんいるのです。

わたしは法学部の出身なのですが、法学部というのは、論理的に話すことを得意にしている人が比較的多く集まる場所です。

特に東大の法学部に入ってくるような人間は、そういう傾向が他よりも強いようで、一人ひとりが自分の論理力に自信を持っているものですから、酒でも飲んで議論をはじめてしまうと、それはそれは、凄《すさ》まじい世界に突入してしまうことになります。

ところが、そこに担保されているのが最低限の論理性で、どんなに飲んでも泥酔して支離滅裂になるような者はいませんし、誰もが最後まで論理性を失わないのです。「よくわからないけど、大体こうだよね」というスタンスで喋る人はほぼいません。

全員が論理の刀で延々とチャンバラをやり続けるという、見る人によっては修羅場と映るかもしれませんが、ある意味とても合理的かつ快適な世界で、わたしはそういう世界で青春時代をずっと過ごしてきたわけです。

つまり、論理というものが肌に合っている人も、世の中にはいるということ。そういう人は、感情や発想を言葉にする際、論理的に表現するという作業に何のストレスも感じないのです。

日本語という言葉のツールを最大限に使い、場合によっては英語やラテン語なども持ち込みつつ、話した後は常に頭の中はすっきりしている状態です。

論理的に話せる人の最大の特徴と利点は、言葉を自在に扱えるがゆえに、議論をするとお互いが完全燃焼します。話し終わったあとに、伝えきれない意識の燃えカスのようなもやもやが頭の中に残るというストレスがありません。

「思考が整理できなくて言いたいことが言えなかったよ」というようなことが、現実にほとんど起きないのです。

お互いに完全燃焼するという議論を得意とするのが弁護士であり、法律家です。

つまり、直感や閃きといったもやもやした発想を、わかりやすく言葉に換える弁護士としての仕事を、自分自身でやってみるということです。

法律家という立場に立ってみて、その視点でものを考え、言葉を発する癖をつけることで、人は論理性を高めていくことができるのです。

パッションだけじゃ伝わらない

論理的な話し方が苦手な人の中には、「〝弁護士脳〟になるなんて自分には無理！」と考える方も多いでしょう。

では、実際にどうすればそんなことが可能なのでしょうか。それには、「弁護士になる」ためのちょっとした意識の切り替えと練習が必要です。逆に言えば、そのコツさえつかめば、それほど難しいことではありません。

「弁護士になる」という言い方に違和感があるなら、もう少し柔らかく「弁護士気分になってみる」というイメージでもいいと思います。

ポイントはただひとつ、「第三者の視点で自分の発想を説明する」ということ、これにつきます。第三者の目で自分を見るためには、そこに具体性が伴わなければなりません。

この具体性こそが論理の基本なのです。

「あなたのアイデア（発想）を表現してください」と言われたときに、それに対して「自己表現」でしか応えられない人もいます。自己表現とは、自分という視点だけでモノを見て、言葉を話し、文章を書くということで、ともすると独りよがりになって、具体性を欠いてしまう結果になります。

しかも、その根源にあるのは情熱や激情といった「パッション」であることが多く、言葉に置き換えられない抽象的なパッションは、具体性を伴う論理とはしばしば相反します。もやっとしたパッションを、自分の視点だけで相手に伝えようとしても、なかなかうまくはいきませんし、弁護士や代理人の仕事とは言えません。

もちろん、「自身の視点」も「パッション」も、アイデアの根源には絶対に必要なものです。「自分はどうしてもこの企画をやりたいのです！」と上司の心に訴えるには、まずは自身の視点と、それを支えるパッションが根底になければ難しいでしょう。

第三者を説得するためには、こうした言葉にしがたい熱意というものも往々にして必要となるのです。

ただ、この熱い抽象的なものだけを武器にシンプルにぶつかっていっても、「君、熱いねえ」「まあ、がんばってよ」と返されて終わりです。上司からすれば「熱意は伝わったけど話に具体性が乏しいから内容がよくわからない」ということなのです。

もっと言えば「熱意の存在はわかるけど、熱意の根源（＝直感や閃きの正体）がよくわからない」ということになります。それでは何も伝わっていないのと同じです。

論理性に必要なのは、あくまでも「具体性」です。逆に言うと、抽象的すぎる人というのは論理的ではありません。論理的とは、具体的に「たとえばこうである」という提案ができるということです。

「君の熱い気持ちはわかった。それで具体的にどうしたいの」と聞かれたとき、待ってましたとばかりに「はい！　たとえばこういうプランがあります！」と具体性を伴う形で提案することができれば、相手は「お、準備できてるじゃん」「こいつは論理的じゃないか」という印象を持ってくれるでしょう。

論理的に話すためのひとつの方法としては、「重要なポイントから先に伝える」という方法を先ほどご紹介しましたが、それと少し似たやり方で「全体像を先に説明する」という方法もあります。

感覚的に生きている人というのは、自分が気になっている「ある部分」だけを強調してしまうことが多く、話の本筋になかなか入っていきにくいという傾向があります。

このように、「各論」から無秩序に説明をはじめるのではなく、全体の「総論」を最初から伝えてしまい、そのうえで各部分を詳しく説明していくと、聞いている側には大きな安心感が生まれるものです。

まずは、全体像はこうだという形で、先に大きな像をイメージしてもらい、その中で「全体から浮き上がってくるポイントがここです」と体系立てて説明できると、「この人は全体をおさえている」「俯瞰してプロジェクトを理解している」「木だけではなく森全体を見ている」と理解してもらえるでしょう。

その際に、全体像を決して抽象的に言うのではなく、努めて具体的に表現することが重要です。「この全体像を象徴するのが、たとえばこれになります」とか、「その全体像の代表的なものがこれになります」というように、「象徴」「代表」「これがもっとも典型です」

というような言葉をあえて使い、具体性を強調することで、全体像を論理的に理解できているることが相手に伝わるのです。

話を新聞記事化する

このように、重要なポイントや全体像を先に説明し、体系的に説明するためのひとつの方法が、「新聞記事のように話す」というものです。

新聞というのは、紙面が非常に論理的にできており、日常で交わされている会話とはかなり違ったルールで構成されています。この構成を話し言葉に応用してみると、内容を無駄なく論理的にまとめることができます。

同じ文章でも普通の作文は、いわゆる「起承転結」のような形で時系列に流れていく形が多く、重要なこととそうでないことが、同じ活字の大きさで続いてしまうことになります。

一方、新聞の紙面は優先順位が非常にはっきりしていて、重要な順から

「大見出し」→「見出し」→「小見出し」→「リード」→「本文」

という流れになっています。飲み屋での雑談のような回りくどさが一切ありません。論理性が高い会話がくっきり展開しているのとよく似ています。

従って、忙しくてじっくり紙面を読んでいる時間がないときは、極端に言えば見出しだけを見れば、少なくとも何が起きたか、起きなかったかの事実関係はわかります。せめてリードまでを読めば、その内容のもっとも基本的な部分は理解することができるわけです。実際、そういう読み方をしている人は多いと思います。

また、新聞では本文についても、重要なことは最初の段落で先に書いてしまうのが原則で、後ろに行くほど重要度は低くなっていきます。

たとえば、A～Eまでの5つの段落で構成されている記事であれば、一番重要なことはAに書かれ、その次に重要ことがB、続いてC、D、Eと、優先順位は下がっていくのが普通です。

つまり、時間がない人は見出しだけを読み、余裕のある人はリードや最初の段落まで読み、暇な人は最後まで読むという仕組みです。

話す場合も、重要なことやオリジナルな部分、あるいは大枠となる「見出し」の部分から先に話したほうがポイントが伝わりやすいわけです。新聞もそれと同じ理屈なのですが、優先順位の理由はそれだけではありません。

というのも、新聞は掲載される文字数が限られていますので、記者が書いた文章が必ず全文掲載されるとは限りません。

紙面の構成を担当するのは、一般に整理記者と呼ばれる人ですが、文字数が紙面からどうしても溢れてしまう場合は、この人たちが記事の後ろからバッサリと切っていきます。

A～Eまで5段落で書いても、場合によってはCから先は切られてしまい、結果として見出しとA、Bだけの記事になってしまうこともあるのです。

それでも、重要なことから先に書かれていますので、必要な情報は読者に伝わるわけです。新聞記事とはそういう原理で構成されています。

これを知ったうえで実際の紙面を見てみると、たしかにそういう構造でできていることがよく理解できると思います。

たとえば、（次ページ図D）の日本経済新聞の紙面を例にして見てみますと、大見出し（①）で

「アメリカの原油の在庫が過去最高の水準になってしまった」

ということをまず伝え、次の見出し（②）で、在庫が増えた背景として

「アメリカの会社がシェールガスを増産しているから」

図 D

①

米原油在庫、最高水準に

②

シェール増産受け
減産主導のサウジ警戒感

③

【ヒューストン＝稲井創一】米シェールオイルの増産で原油在庫が記録的な水準に積み上がっている。米シェール企業が生産を強化しているためだ。エクソンモービルなど石油メジャーも本格的にシェール事業に取り組み始め、当面、シェールの増勢が続く可能性が高い。石油輸出国機構（OPEC）の減産効果を薄めかねないとして、サウジアラビアは警戒感を強めている。

④

米エネルギー情報局（EIA）によると3日時点の米原油生産量は日量908万8千バレル。2016年7月1日時点の842万バレルを底にした米原油生産の増加基調が続く。

8日にEIAが発表した3日時点の米原油在庫（戦略備蓄除く）も9週連続増の約5億2840万バレルと、統計でさかのぼれる1982年8月以降での最高を更新した。旺盛な米原油生産の背景にあるのが米シェールの復調だ。

⑤

「17年は米国の投資を加速する新しいステージに入る」。シェール大手デボン・エナジーのデーブ・ハーガー最高経営責任者（CEO）は17年の原油・天然ガスの探索・開発投資を16年の約2倍の最大23億ドル（約2600億円）にすると表明。17年末時点の米国内原油生産量を16年10～12月期比で最大15%増の日量約12万バレルに増やすという。

主要米シェール10社の16年10～12月期の最終損益も69億ドルの赤字と、前年同期（約170億ドルの赤字）に比べ大幅に縮小。さらに16年11月末にOPECが減産合意して以来、WTI（ウエスト・テキサス・インターミディエート）原油価格が安定的にほぼ50ドル台で推移。シェールの損益分岐点は40～70ドルとされる中、優良な油井なら利益が出る企業も増え始め、投資・生産を再強化する環境が整いつつあった。

シェール増産に拍車をかけるのが石油メジャー

シェールの生産性向上も続く（テキサス州イーグルフォードの油井）

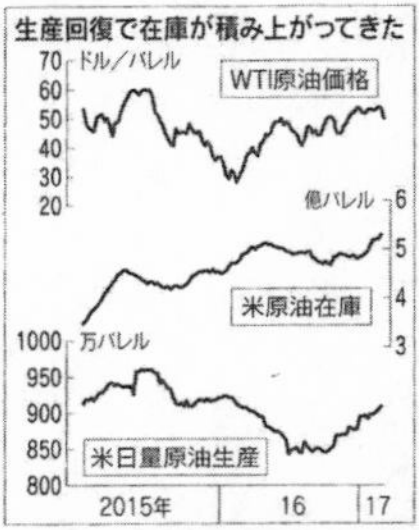

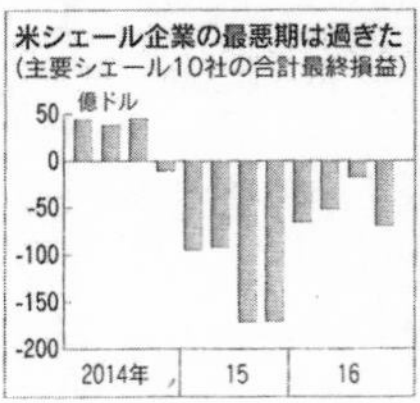

日本経済新聞　2017年3月10日付

「逆に減産したいと考えているサウジアラビアはこれを警戒している模様」

ということが伝えられます。続いて③のリード部分でそれについてもう少し詳しく書かれ、④以降の本文で本格的な説明に入ります。

さらに、グラフや表がエビデンスとして添えられて、紙面の信頼性を高めています。

つまり、日本経済新聞がこの紙面で一番伝えたいことは、

「アメリカがシェールガスを増産して、在庫が過去最大になった」

という事実ということになります。また、別の新聞社であれば、立場の違いから伝えたい優先事項は変わってくるため、見出しには別の文字が躍るかもしれません。

新聞社によっては、「原油の在庫が増えた」という経済情報よりも、その背後でうごめく政治的な事情に焦点を当て、読者の関心に訴えるという方法をとるかもしれません。

この「新聞方式」を、話すときにも応用してみようということです。たとえば5秒という制限の中で、このシェールガスの話を説明するのであれば、大見出し→見出しの順で「アメリカの原油の在庫が過去最高になったけど、サウジあたりは減産したいから警戒しているようだね」といえば、5秒ですっぽりおさまります。新聞で言えば、紙面の文字数におさまるのと同じです。

そしてもし、もう10秒くらいの余裕があるならば、シェールガスのこれまでの背景や、関連国の力関係などについて補足すれば、話はより完成度が高くなります。新聞で言えば、リードや本文の役割です。

これを、図で言うところの⑤の「シェール大手のCEOがこんなことを言っているんだ」という、本質ではない枝葉の部分から話しはじめてしまうと、聞いているほうは「突然何を言いだしたの？」と、とまどってしまうでしょう。

文字制限と時間制限

新聞に文字数の制限があると言いましたが、論理的に話すということは、ある意味で書くこと以上に時間との闘いになります。

というのは、読むという行為は、読むその人が自分で時間を管理しながら、自分の都合で読んでいきます。記者は記事を書いたあとはフリーハンドになり、その先は読者に対して「どうぞご自由に」という立場になるわけです。しかし、話す場合は相手が目の前にいますから、「自分が話す時間」と「相手が聞く時間」は一体化しています。

話すほうは10分でも20分でも喋っていて楽しいかもしれませんが、聞く側は「長く聞きたくない、短くまとめてよ」と考えているでしょう。限られた5秒や10秒の中で、見出しとなる結論から先に伝え、どこでバッサリと時間を切られても大丈夫なように、「新聞方式の話し方」を身につけておく必要があります。

会社の廊下ですれ違った同僚に、「あ、あの企画通ったよ。方向はBプランで行く。詳細はメールしておくね」と言えば、

「懸案だった企画が通過した」（大見出し）
「A～Cまであったプランのうち B に決定」（小見出し）
「それ以外の詳細はメールにて」（本文）

という情報が、わずか3秒で伝わります。それを「あ、このあいだ企画会議あったよね。あのあと大変でさ……」などと、別に聞かなくてもいい話をはじめたら、足止めされた相手は「こいつ何が言いたいんだ」とうんざりした顔をすることになるでしょう。

5秒で話す練習

このように、「新聞方式」の話し方は、できれば小学生くらいのころから練習しておくといいでしょう。論理的なトレーニングをはじめるのは、早ければ早いほうがいいと思います。

「じゃあ5秒で話して」と言われたら、「5秒か。じゃあ見出しまでかな」とか、「15秒で」と言われたら「リードまでいけるな」とか、あるいは「自分は早口だから最初の段落までいけるかも」というように、子どものうちから常に時間を意識し、頭の中で重要度順に並べることをあたりまえにしておけば、論理的な話し方は自然に身につきます。

実は、このように時間との関係性で重要度を決めていくという考え方は、日本の教育界にはこれまでほとんどありませんでしたし、今もその傾向は続いていると思います。

むしろ、日本の学校では「生徒に心理的なプレッシャーを与える」というような理由で、時間を意識させることに抵抗感を持つ人もたくさんおられます。

「のんびり、ゆっくりと考えさせてあげると、児童は自主的でクリエイティブな発想を持つことができる」というような錯覚があるのは事実だと思います。

しかし、わたしはそうした考え方には、はっきりと反対の立場をとりたいと思っています。時間に追われないで漫然と考えるというのは、実はほとんど考えていないことも多いのです。わたしの大学の授業でも、学生たちには「ストップウォッチを使いなさい」といつも言っています。

授業ひとつとっても、40分とか50分という限られたなかで、メリハリをつけながら、どれだけ集中して思考できるか、そのトレーニングメニューを考えてあげるのが教師の仕事のはずです。

これと同じことで、新聞記事を読んで要点を説明させるのにも、必ず時間を切って、「はい、ポイントを15秒で」という形で練習しないと、集中力がそがれて頭の中のメリハリはついてこないと思います。

野球でも、キャッチボールはてきぱきと正確に素早くできることが「うまい」という評価になります。キャッチしたまま投げ返さずにボーっとしていたり、ポロポロ落としたりしているようでは、上達はおぼつかないでしょう。

論理を学ぶルールはいくつもあるのですが、それを学ぶ際に時間の要素を入れていない、もっと言えば時間を無視している、そういう傾向が日本の教育の世界においては強いのではないかと感じています。

こうした時間を意識した話し方は、何も会社の会議のようなシビアな場だけではなく、日常生活における家族や友人と雑談するときにも必要です。常に心掛けて繰り返していくことで、習慣として身につけていくことです。

たとえば、全体のイメージをまず説明したうえで、その全体の中から典型的なもの、具体的なものを2、3点拾い出し、結論へ行きつくまでの流れを、できれば1分程度のリミットのなかで行う練習をしてみてください。

全体を説明するのに5分かかり、具体例を抽出するのに3分も4分もかかっていたら、相手はもう、途中からうんざりして話を聞いてくれません。

そもそも、人間の集中力には限界がありますから、だらだらとしたプレゼンに相手が集中力を保ち続けてくれるなんて、期待するほうが無理というものです。

理想は長くて1分です。全体像の説明を30秒ぐらいにとどめ、次の30秒で具体例を挙げるのが基本です。これをぜひ、習慣として身につけることを心掛けてください。

わたしは大学で、中学や高校の教師を目指している学生たちに授業を教えているわけですが、彼らにプレゼンのトレーニングを教えるときに、いつも「長くて1分」という形でこの練習をしてもらっています。

基本的な〝お題〟はわたしのほうから最初に出すのですが、たとえば、

「ICT技術を使った新しい教え方を考えて」

「体験型の何か楽しい授業は」

「競争原理をうまく活用した授業を」

というように、次々とテーマを学生に投げるわけです。学生は4人1組になって、その場で企画を一生懸命に考えて、ひとりずつ1分前後の説明をしたあと、最後は誰の企画がよかったかを投票で決めてもらいます。

たまに「三権分立を生徒に教えるための替え歌を考えて」というような無茶振りもしてみたりするのですが、学生たちも脳をフル回転させながら、短い時間でけっこう上手に説明してくれるものです。

哲学者のハイデッガーは、人間は時間的存在と言いました。ドラッカーは、わたしたち

の共有資産は時間だと言っています。

重要なことは、わたしたちは皆、時間の中で生きているということです。人と話すときは、相手の時間をできるだけ奪わないように、しっかり論点をまとめて伝えるようにしなければなりません。

逆に言えば、論理的に話せない人というのは、時間を無駄にしていることが多いということでもあります。子どものうちから、時間の感覚を授業に取り入れるべきだというのは、そういう理由からでもあるのです。

「思考」と「説明」

論理と時間をつなげて分析していくと、浮かび上がってくるのが、「考える」という行為と「話す」という行為の関係性です。つまりは「思考」と「説明」です。

思考というものは体の内部でやる行為ですが、説明は体の外へする行為です。この2つは普通、バラバラになっているわけですが、これを一体的にやってしまおうというのがここで推奨したいやり方です。すなわち、思考と説明を同時に進行させる癖をつけるということです。

現象としてどうなるかというと、つまりは「喋りまくる」という状態になります。頭の中は常に考えていますから、同時進行というなら当然そうなります。

言い換えれば、思考のすべてをとりあえず口に出して喋ってしまうということ。実はわたし、このやり方を中学生のときからずっと続けているのです。

自分なりに論理的に話すにはどうしたらいいかを考えて、いろいろ試行錯誤した結果、「喋ることで考える」、つまり「話す＝思考」の習慣がついてしまいました。

脳で考えた内容を、しばらく整理してから時間差で言葉にするのではなく、言葉にしながら思考し、思考しながら言葉にするということ。言葉と思考を同時一体的にやるわけです。これは友達と2人くらいでやり合ってみるといいでしょう。

このときにどんな心理状況にあるかを少し解説しますと、3分後に自分が何を話すかは予測ができないわけです。そうすると、最初のうちは辻褄の合わない話し方をしてしまうことが多くなります。

たとえば、〈A→B→C→D〉と口に出して話してみたら、AとDが矛盾してしまい、整合性をとるにはBを取り消すか直さなければならない。黙っていればわからなかったのに、口に出してしまっているからバレてしまう。しかし、練習なのでそれでいいのです。

この練習を続けていくと、〈話す＝思考〉で喋り続けるわけですから、沈黙の時間は許されないという状況になります。沈黙しているということは、すなわち何も考えていないということ。論証で言えば

①〈話す＝思考〉が原則である
②しかし、わたしは今5秒沈黙している
③従って、5秒何も考えていないことになる

という理屈です。①と②という前提から、③という結論が導かれたわけです。

ですから、たとえば「3秒空けたら〝放送事故〟」というように、自分で勝手にルールを決めてみて、時間の縛りのなかでやってみて下さい。

ひとりがあまり長く話すのはよくないですから、たとえば5分ほどという枠を決め、ひとまず5分喋り続けながら、その説明がきっちり論理的になっているのが理想です。

これはつまり、論理的な説明力と論理的な思考力が、一体的に鍛えられるということになります。これをある学生に教えたところ、彼は「3分後に話すことは想像できない、3秒の間を空けてはいけない、まずは5分間で練習してみるということで、『3・3・5の法則』と名づけました」と言って、今もたまに練習しているようです。

やってみるとわかりますが、まとまった話を5分し続けるのは簡単ではありません。学生にやってもらうときは、まずは「15秒でまとまった話をひとつしてください」というところからはじめてもらうこともあります。

慣れてきたら30秒や1分にまで延ばしてみて、さらに3分、5分と延ばしていくのですが、そうなると今度は、どうしても話の密度が薄くなってくるわけです。5分の間がもたなくなってくるのです。

慣れてきて1分くらいなら話ができても、5分となると意味の含有率が全体平均で低くなり、「あ、もう話すことがなくなりました……」とギブアップ宣言が出はじめます。

密度を同じに保ったまま、話の飛距離を延ばしていくのは、慣れないうちはかなり難しい作業です。50mの短距離なら、まあまあの速さで走ることができる人でも、100m、200mと延ばすとペースが落ち、1㎞となったときにガクンと速度を落とすものです。

これを、ペースを落とさないまま走り切れるように、距離を延ばせるようにすることが、ここで言う論理力トレーニングということになるわけです。

秒単位のトーク

これまで見てきたいくつかの例からもわかるとおり、現実の生活でわたしたちが論理を構成するのに与えられる時間は、5秒や6秒といった秒単位の短いスパンであることがほとんどです。

秒単位の論理力と言えば、政治家の国会答弁もそのひとつです。もちろん、質問はあらかじめ事前通告されるのが原則ですが、細かい部分ではアドリブが求められる場合もありますし、昨今は意図的に事前通告せずに、いきなり予期せぬ質問をぶつけ、答弁者に揺さぶりをかける議員もいます。

「大臣、どうですか」と聞かれて、「さて、弱ったな」と思ったとしても、椅子から答弁席に向かうまでの4秒、5秒という間に、頭の中で考えを整理しなければなりません。

あるいは背後から官僚がメモを渡して助言されるときも、数秒で意図を理解し、頭の中で情報を置き換え、やはり数秒で話し終えなければなりません。重要な点は、あの場では失言という地雷を絶対に踏んではならないということです。

公共性の高い場面で失言をするということは、つまりは秒単位の論理力を身につけるトレーニングを、これまでまったくしてこなかったということになります。

閣僚が失言で要職を解かれるようなニュースを見るたびに、「子どものころからしっかり論理の練習をやっていればなぁ……」とわたしなどは思ってしまうのです。

わたしも仕事柄、テレビの番組などに呼んでいただくことがあるのですが、司会や共演する方などからいきなり話を振られたときに、何を話すかを決める時間はいつも一瞬です。

想像していただくとおわかりかと思いますが、テレビの生放送では沈黙が1秒あるだけで、かなり違和感のある空気になります。決断に与えられる時間は、おそらくコンマ5秒以内、話す時間は3秒や5秒という世界でしょう。

その短いスパンで話の優先順位を間違えないように並べ、しかも生放送であれば〝地雷〟を踏まないようにしなければなりません。さらに、場合によってはそこにユーモアも交えて人を笑わせなければならないのですから、そういう意味ではお笑い芸人さんという人たちがどれほど高いレベルで〝喋くり〟を職業としているか、想像できるのではないでしょうか。もたもた話していると、途端に5秒、10秒と過ぎてしまいますが、逆に言えばテレビでは10秒のスパンで山ほど話せるとも言えるのです。

そもそも仕事ができる人というのは、頭の中に時間軸が自然と入っており、回転も速い人が多いですから、のんびりと話されるだけで、「その内容だったら5秒で言えるじゃん」「自分だったらここから話すのに」「あ、その話は今いらないよ」となってしまい、ちょっとイライラしてしまうわけです。

よくテレビでお笑い芸人のMCの方が、トークが苦手なタレントさんなどに向かって「今その情報いる?」などといじって、笑いに変えている場面を見かけますが、MCにしたら「今こちらがあなたに求めているコメントは、AもしくはBの二者択一なんだよ。どっちを選んでも笑いになるように会話の流れを段取りしたのに、関係ないDとかF持ってきてどうすんの」ということなのです。

また、あまりに関係ないエピソードをつらつらと話してしまうと、編集ができない生放送では、先ほどから言っている「相手の時間を奪う」ということになってしまいます。

そういう場面でもMCの方は、「あんた尺とりすぎやろ!」と突っ込んで笑いに変えるのですから、やはりトーク力の高い人というのは概して頭もよく、ものの考え方も論理的だと言うことができるでしょう。

「論証図」でトレーニング

先ほど「論証」について少しふれましたが、いい機会ですので、ここで「演繹法《えんえきほう》」というひとつの論証の方法をご紹介したいと思います。前提となっていることがらから、確実にわかる結論を導き出すというやり方です。構造的に論理を学ぶうえで非常に役に立つと思います。たとえば、

①『ドラえもん』の作者は『パーマン』の作者と同一人物である。
②『ドラえもん』の作者は藤子・F・不二雄である。
であるならば、
③『パーマン』の作者は藤子・F・不二雄である。

図E

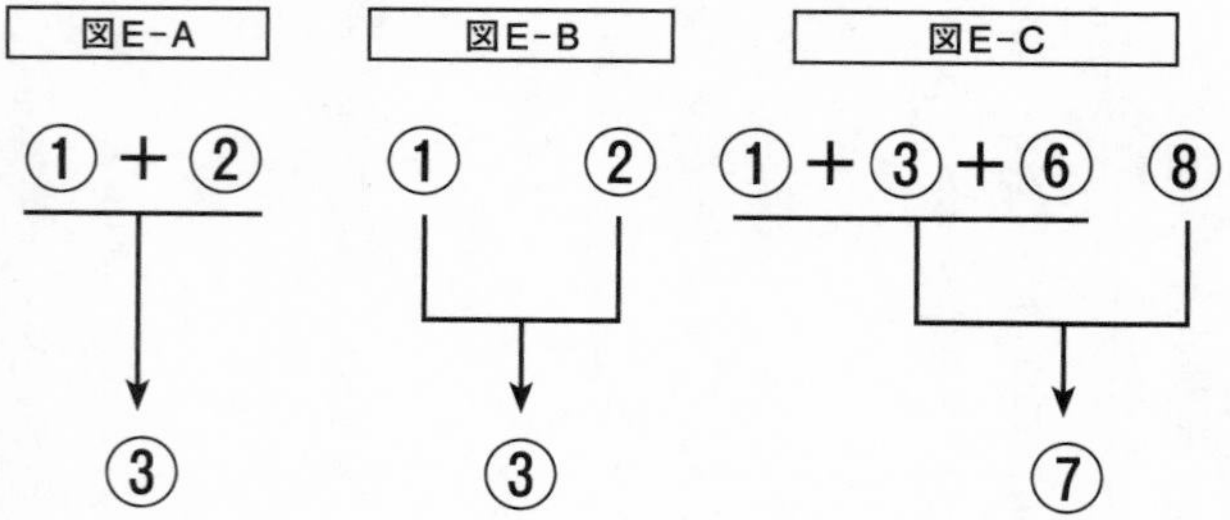

という事実がわかります。前提①と②から、結論③が導き出されたわけです。

これを、「論証図」というもので表すと、**図E−A**のようになります。①と②の両方を知ることによって、初めて③が確定できるという構図を表しています（結合論証）。

ここではわかりやすくするために『ドラえもん』で例題を作ってみましたが、論証図についての正確な理解のためには、野矢茂樹東大教授の『論理トレーニング』（新版・2006年／産業図書）、『入門！論理学』（2006年／中公新書）などを参照してください。

一方、話の中には、①か②のどちらか片方だけでも知ることができれば、③もわかるとい

うケースもあります。たとえば、

①　人気漫画アンケートで『ドラえもん』は上位である。
②　『パーマン』の漫画は何度も増刷されている。
③　藤子・F・不二雄は人気がある漫画家である。

というようなパターンです。①からだけでも③はわかりますし、②からだけでもわかります。そのような文を先ほどの論証図で表すと、**図E-B**のようになります（合流論証）。

これをさらに長い文章に当てはめていくと、論証図はだんだん複雑化していきます。たとえば次のような例です。結論は⑦になります。

①　未来からやってきたのはドラえもんかのび太のどちらかである。
②　のび太の生年月日は不明である。
③　セワシくんの親はセワシくんの幼児期にドラえもんを購入した。
④　のび太はしずかちゃんと将来結婚する。

⑤ セワシくんはしずかちゃんの孫の孫である。
⑥ セワシくんはのび太の孫の孫である。
⑦ 未来から来たのはドラえもんである。《結論》
⑧ そういえばドラえもんは未来のことをよく知っている。

結論が⑦であることを確定させた直接の根拠は①と③と⑥です。さらに⑧の「そういえばドラえもんは未来に詳しい」というのも、結論を導く材料のひとつではあります。したがって、論証図は図E-Cのようになります。

このように、論証の構造を精密に捉える練習をすることで、結果的に論理に強くなることが期待できます。

仮にですが、これを全200ページの推理小説の全部に当てはめてみたら、おそらくとんでもなく複雑な論証図が出来上がるはずです。

そこまでしないまでも、たとえばテレビのサスペンスドラマを見たときなど、ストーリーを8つから10程度のポイントに分けてみて、それを論証図に落とし込んでみると、ものごとを論理的に捉えるための絶好のトレーニングになるでしょう。

三章

フォーマット思考を身につけよう

一文で心をつかむタイトル

企画の立案やプレゼンをする際、評価のポイントは大きく2つあります。ひとつは企画そのものがおもしろいかどうか、もうひとつはプレゼンが上手かどうかです。

総合的に求められるのはもちろん両方なのですが、企画の中身が弱くても、プレゼンの達者な人が評価を受けてしまうことがあるのも事実です。

ここで言う上手なプレゼンとは、話の輪郭が明確であることです。主旨が明確で目的達成までのプロセスも妥当、根拠となるエビデンスにも整合性があり、なによりわかりやすいことが重要です。

くっきりとわかりやすく伝えるための方法については、

「ポイントを先に言う」

「全体像を先に伝える」

などのやり方をご紹介しました。これと似た方法として、プレゼンの最初のひとことに「本のタイトル」のように凝縮した言葉をポンと投げかけてみるという手法も覚えておくといいでしょう。

タイトルとは、本を構成するうえで、ある意味もっとも重要な部分です。本全体の内容が象徴され、筆者の意図が凝縮されているうえ、なおかつ読者に「手に取ってみたい」と思わせるひとことでなければなりません。

どこの出版社も「タイトル会議」というものを開いて決めているだけあり、たまにキャッチーなタイトルが先行して売れてしまう本も実際にあります。

最近はタイトル自体がひとつの文章になっているケースも多く、わたしも『語彙力こそが教養である』（2015年／角川新書）というタイトルの新書を出したことがあります。これは、「教養とは何か」に対して「語彙力だ」とひとことでまとめたタイトルということになります。もちろん、実際には教養を説明する言葉は、語彙力以外にもたくさんあるのですが、ここでは「基礎になるのが語彙力である」ということを端的に伝えるために、「教養」「語彙力」

という2つの単語をキーワードとして結びつけ、「○○こそ△△である」という文章であえて言い切ってしまうことで、一定の説得力を生むという手法が採られています。

このように、本のタイトルになるようなひとことを、プレゼンの頭に持っていくのはかなり有効な方法です。聞いている側はそのキャッチーな言葉に引き込まれ、企画の内容以上の説得力を感じとってしまう場合もあるのです。

たとえば、先ほどの「体験型の何か楽しい授業は」というお題に対して、「体験だけが感性を育てるのです」「体験こそが感性の源泉なのです」というような言い回しでプレゼンをはじめてみると、人によっては「お、たしかにそうかも」と興味を示し、「ちょっと聞いてみるか」と前のめりになってくれるものです。

逆にプレゼンの出足がもやっとしていて印象がよくないと、聞いている側は「この人はきっと、頭の中までもやっとしているのかな」と考えてしまい、そこから先は話が頭に入ってきません。

論理的な話が苦手で、自分は直感的な人間だと自覚している人ほど、最初に「これはこうです」という〝タイトル〟の一文をぶつけてみる練習が必要になるでしょう。

情報にも優先順位をつける

「くっきり」と話すコツについてもう少しお話すると、たとえば

「今日の大事なポイントはこのひとつ」

「今日、覚えてもらうのはこの2つだけ。これだけわかればいいから」

というように、伝える情報に優先順位をつけて、領域や限度を最初に伝えておくと、聞いている側の意識は明瞭になります。「ここまで」という範囲をわかりやすく決めて最初から強調しておくと、小学生でも眠そうな目を開いてくれます。大事なのは、情報に順序や段階をつけ、「この人、くっきり話すな」と思ってもらうこと。「くっきり」すなわち論理的ということです。

キャッチボールで言えば、相手が受け取りやすいように、「じゃあいきますよ」と確認してから球を投げるのと同じです。「これから一番大事なことを言いますよ、はい」と言うことなのです。

これと対極にあるのが、羅列的に、いきなりビュンビュンと球を投げ続けるというやり方です。実は東大の法学部というところは、比較的そういう授業がスタンダードでした。教授が論理的な話を、100分なら100分、延々と続けるような授業がほとんどなのです。話し方にメリハリはありません。優先順位も示してくれません。

たとえメリハリはなくても、その話の中には大事なことと、そうでないことがあるのですが、それを学生側が自分で選別し、優先順位をつけて整理しながらノートに落とし込んでいくわけです。講義を聞きながら、「大事なこと」「中ぐらい」「大事じゃないこと」とレベル分けしつつ、ノートをとることができる学生が、東大法学部には比較的多かったと言えるかもしれません。いくら羅列的に情報を発信されても、受ける側がそれを構造的に選別し、結果としてきれいにノートにまとめてしまうのです。

10数年前に『東大合格生のノートはかならず美しい』（太田あや著・文藝春秋）という本が注目されたことがありましたが、たしかに参考書として売り出せるような、美しく構造化されて仕上がっているノートが珍しくありませんでした。

ちなみに、よくできたノートというのは教科書よりも見やすいもので、教科書を読んでも頭にまったく入らない人が、よくできた見やすいノートを見て「なんだ、そういうことか」と一発で理解できてしまうことがよくあります。

「くっきり」としたノートを見ながら勉強したほうが、下手な参考書を見るよりもわかりやすいということが実際にあるわけです。いずれにせよ、一般的には情報は優先順位や段階をつけながらインプットしていくことが重要ということです。

レントゲン写真で骨格をつかむ

聞いた話を「くっきり」とノートにまとめられる人というのは、頭がいいか悪いかという以前に、「聞き上手」という点がひとつあると思います。というのも、聞き上手な人というのは、実は「整理上手」ということでもあるのです。話を聞きながら、頭の中で次々と整理していくのが上手なのです。

一般に聞き上手な人というと、相手の目を見て微笑《ほほえ》んで、いいタイミングで頷《うなず》いたり、相槌《あいづち》を打ったり、ということが重要視されますし、たしかにそういう身体的な動作も、コミュニケーションをとるうえではとても大事なことです。

ただ、ここで言う「聞き上手」とは、相手の話をその場で整理できているかどうかの基準です。整理が苦手な人は、羅列的に話されてしまうと「あ、ちょっと待って。もう1回最初から……」の繰り返しになってしまいます。

整理ができているかどうかの見分け方のひとつが、話を聞きながら、

「ここまではわかる」

「ここからはちょっとわからない」

というように、わかっていることと、そうでないことのラインを、その都度きちんと引けるかどうかという点です。

整理が苦手な人は、講義を聞いていても、「よくわからないです」「どこが？」「えっと、どこがわからないかもよくわからなくて……」という調子ですが、「今ここまでわかりましたけど、ここから先はどうなるんでしょうか」と質問されれば、話している側は「この子はしっかり聞いているな」という判断になるわけです。

整理をして聞けている人は、「今のお話、ここまではこういうことでよろしかったでしょうか」と確認しながら、「じゃあ、先ほどのこれと共通するわけですか」「この部分とは矛盾するということですか」とつなげていくことができますから、場合によっては教える側がうっかり伝え落としていたことにも気づけることがあります。

「え、矛盾なんてあるかな。あ、そうか。これを言うのを忘れていたんだ」「よく気づいたね、指摘正しいね」ということになり、「この人が助手になってくれたら助かるな。引き抜けないかな」というようなことにもなるかもしれません。

とはいえ、あまりに枝葉末節にこだわりすぎて、本質からズレたことばかり聞くのも整理上手とは言えません。まずは話の骨格を理解するのが大事です。

たとえるなら、レントゲン写真を見ながら骨格の位置と形をつかむというイメージでしょうか。人体を深く知るためには、莫大《ばくだい》な量の情報を得なければなりませんが、情報が多すぎる場合は、「とりあえずレントゲン写真を見せてよ、骨だけ見てみるから」という話です。内臓はとりあえず置いておき、ましてや着ている服なんてどうでもいい、「とりあえずどういう骨格なのか」から理解をする癖をつけることです。

また、レントゲンを見れば、象の骨なのか、魚の骨なのか、人間の骨なのかはわかります。そこからまずつかんでいくというイメージでもいいでしょう。

整理上手で頭のいい人は、聞くときはもちろんですが、話すときも骨格からパッと話します。そういう癖がついている人が、世の中では論理的な人ということになるわけです。

ここで言う「話の骨格」についてひとつ例を挙げますと、「誰が」「誰に」したかということを伝えないままに話しはじめてしまう人が意外に多いということです。

こちらも聞いていて意味がわからないので、「すみません、それは誰に対しての話ですか。Aですか、Bですか」と聞くと、「いえ、Cです」と返ってきたりするわけです。「なんだ、Cですか（やれやれ、どうりで伝わらないわけだ）。では、話を続けてください」

ということになり、そこでようやく骨格がつかめたことになります。

こういう確認作業も早めの段階でしておくことが必要で、確認するポイントすらよくわからずに、羅列的に発せられる話を、ただ淡々と聞き続けていると、お互いにとって無駄な時間になってしまいます。話す側も聞く側も、常に話の骨格を意識し、確認する癖が必要だということです。

一方で、頭がよすぎて骨格の一部を意図的に省略し、すっ飛ばして話してしまう人もたまにいます。頭の回転が速すぎて、自身が飽きるくらい理解できてしまっているので、いちいち言葉にして確認作業をするのが面倒くさくなり、ついつい飛ばしてしまうというパターンです。

本来なら、A→B→C→D→Eと会話をつなげていくべきところを、BとCを省いてしまい、Aの次にD、Eと行ってしまう。さらには「君ね、人生というのは、結局はEだよ」といきなり結論を言って話が終わりという方もおられます。

後日その方の著書を読んだら、AからDまでが理路整然と書かれていて、「あのお話はそういうことだったのか」と気づくような場合もあるわけです。

聞き上手は整理上手

段取りよく話を整理して聞く便利な方法のひとつが相槌や合いの手です。先ほど「身体的なコミュニケーションも大事」と言いましたが、人と人がおだやかに交流するためという心理的な要因だけでなく、論理を互いに確認し合うための、会話の「しおり」や「ラインマーカー」のような役割を果たしてくれます。

話を聞きながら、ポイントで頷いてみたり、「なるほどね」と合いの手を入れてあげると、話のどの部分が理解できていて、どの部分が曖昧なのかを示すことになります。「これこれこうなんだよ」に対して「なるほど」と返せば、会話の中に蛍光ペンでラインを引いたような状態になり、相手は「ここまではわかってくれているな」「今の部分に特に納得してくれたな」と理解します。

逆に、首をちょっとかしげたり、眉間に軽く皺《しわ》を寄せて「うん？」というような表情をしてあげれば、「今、まさにわたしは理解につまずきました」とのサインになるわけです。「知る」「知らない」のサインを気にしながら、「知らない」部分が見つかれば、その補足となる説明を早めに相手に伝えること。これが説明力を高めることにつながります。

哲学者のソクラテスは、「知の探求は自分が無知であることを知ることからはじまる」「自分が無知だと知っている人は優れた人である」という「無知の知」という概念を提唱しましたが、まさにそういうことなのです。

「知っている」と「知らない」の区別ができていることが「知っている」ということだと孔子も言っています。

論理的な人とは整理上手な人と言いましたが、その整理の基準とは、「知る」「知らない」を気にしている人と言うこともできます。

逆に、よくない聞き手というのは、漠然と聞いてわかったつもりでも、「じゃあ、今の話を説明してみて」「要約して」と言われると「すみません、よくわかりません……」という一番まずいパターンになってしまい、話した側から「時間を返してくれ」と言われてしまうのです。

もちろん、状況によっては、いちいち会話を止めてその場で確認できないこともありますし、細かい部分はわからなくてもいいというケースもあります。ただ、そういうときでも、理解できない部分は骨格の中で一応は押えておき、理解できる部分と分けて頭の中で整理しておくことは必要です。理解できる部分だけを大事にするのではなく、できない部分も全体の中で捉えておく。「無理解」の範囲が正確につかめていないと、実は「理解」の範囲もよくわかっていないということになるのです。

コピーに凝縮された論理

書籍のタイトルに出版社の情熱が随分と傾けられていることはすでに述べました。実際、売れた本のタイトルを見ていくと、「さすがだな」と感心させられるような、実に痛快で小気味よく、時代を上手に反映させたものがたくさんあります。

心に刺さるタイトルというのは、言葉と言葉の組み合わせが絶妙で、それはつまり、世の中に散らばっているワードを拾い出し、組み合わせていくセンスに長けているということになります。そういう仕事を日常的に行っているプロフェッショナルが、いわゆるコピーライターという職業の人たちです。

駅ビル型ショッピングセンター『LUMINE（ルミネ）』のコピーは、単なるショッピングセンターの宣伝文句ではなく、コピーの一つひとつに物語性があり、コピー自体の

ファンも多いことで有名です。中でも何年か前に見かけた、

「試着室で思い出したら、本気の恋だと思う。」

というコピーには、わたしも本気で唸《うな》らせられました。実によく構成された優れたコピーだと思います。実際、このタイトルで恋愛小説にもなっています（尾形真理子著／再刊・２０１４年／幻冬舎）。

一般に「○○は△△である」という文の形は命題と呼ばれますが、この命題がしっかりと構成されていることが論理的だと言われています。

このルミネのコピーでは、「試着室で思い出すことは、本気の恋である」という命題になっているわけですが、ここで場所を「試着室で」という狭い選択肢に限定したことで、論理性を一気に具体化しているわけです。

「本気の恋かどうかわからない」という想いは、おそらく世の多くの人たちが抱えている悩みです。その悩みはもやっとした漠然たる存在ですが、対して「試着室」という存在は具体的です。この具体的かつ限定的な試着室で着替えたときに、その人のことを思い出したら、「それは本気の恋だよ」と言われると、人はピンときます。もやっとした悩みを抱えている人にとっては、とても科学的で実証的な気がするわけです。コピーを読んだ人の

多くは、試着室で着替えている間に誰かの顔を思い浮かべた経験を思い出し、「あるある！」と共感するのではないでしょうか。

これが「信号の前」とか「駅のホーム」にまで広がってしまうと、たとえ思い出しても「まあ、偶然かな」となりがちですが、「試着室」に限っている点がポイントなのです。あるいは

「トイレで座っているときに彼を思い出したら」

「お風呂に入っているときに思い出したら」

と言われても、いまいちピンときません。やはり「試着室」というところに意味があるわけです。というのも、試着室というのは、「新しい服を着て何かをしたい」という前向きな気持ちがそこに必ずあるからです。

「人に見せたい」「素敵だと言ってもらいたい」という感情が根底にあり、その延長線上には、やはり気になる異性の存在が多かれ少なかれ、誰の心の中にもあるということなのでしょう。つまり、

①「試着室」という空間にピンポイントで視点を当て

②「本気の恋」というキーワードで結びつけた結果

①と②という具体的なものと抽象的なものとが結び合わさり、強い訴求力を持つということなのです。

そもそも、試着室に入った経験が一度もないという人はいないでしょうから、多くの人が過去にさかのぼって、「そういえばあのとき、あの人にどう見られるかを想像しながら服を選んだな」などと思い出しながら、「あれ、実はほんとの恋だったのかな」と想いを膨らませることでしょう。

このように、言葉を第三者の記憶に訴えながら、過去の経験や体験を掘り起こしていくような方法も、ひとつの論理的な形と言うことができます。

「好きなのかな」「恋なのかな」とぼんやりした心の動きが、試着室に入った瞬間に「本気の恋だ！」と鮮明になる。あるいは、錯覚も含めて多くの人にそう思わせる。優れた論理と命題には、このようにイメージを一気に具体化させる力があるということです。

企画書を書く練習

小学校の低学年の子に多く見られるのですが、全体像を把握してポイントをまとめるのが上手にできない人は、説明をしてもらうと冗長になってしまい、「何が言いたいの？」というパターンに陥りがちです。

そのためには、「要はこういう話です」というように大枠から先に伝え、そこから「さらに具体的には」と重ねて説明していく流れがひとつの理想であることは、すでに述べたとおりです。

ただ、最初から「大枠を言え」と言われても、慣れていない人はそれすら上手にできず、「何が大枠なんだ？」というところで躓《つまず》いてしまいます。したがって、そのための練習も必要になってきます。

そこで、次にお勧めしたいのが、「企画書」を書いてみるという方法です。

論理的に自分の直感を伝えるという意味では、頭の中の「もやっとしたもの」を企画書で表現するというのは非常にいい練習になります。

とはいえ、真っ白な紙を目の前にして、「さあ、君の考えを整理して書き出して」と言われても、スラスラ書きはじめられる人はそんなにいません。

また、論理的な文章を書くのが苦手な人は、えてして時系列でずらずら書き並べてしまうので、文の仕上がりが物語のようになりがちです。「朝起きて歯を磨いて……」というように、子どもの作文のようになってしまうのです。

企画書のようなフォーマットに打ち込む場合は、時間軸は関係ありません。タイトルや現状分析、ターゲット、コスト、そのための段取りなどを、整理しながら打ち込んでいくという形になります。そういう練習をしていくと、ものごとを俯瞰《ふかん》して構造的に捉える習慣が身についてきます。

わたし自身、学生時代は授業前によく企画書的なものを書いたものでした。一般に「学習指導案」とか「授業案」と呼ばれるような、教員が授業を進めていくうえでのシナリオのようなものがあるのですが、これを今で言う企画書のようなシートに落とし込んでいく癖がついていたのです。

今思うと、学校で教わった授業案の書き方は、企画書の作り方とは全然違っていたのですが、なぜかわたしは当時から、企画書方式のほうがしっくりきたようです。これが結果的に、ものを考えるうえで今も非常に役立っていると思います。

一般的な企画書の書き方で「学習指導案」を作るとすると、最初にまず授業のタイトルが必要になってきます。できるだけ切れ味のいい、心に刺さるようなタイトルにすると、企画書はそれだけで引き締まってきます。

たとえば「近代日本の歩み」「日本の近代化」といったような、もやっとした大味のタイトルでは、意味はなんとなくわかりますが、切れ味という点ではいまひとつですし、具体性にもやや欠けます。

そこで、たとえば「なぜアジアで日本が近代化に成功したのか」という疑問形にしてみると、読む人の関心を引きつける形になり、最初のタイトルよりは輪郭がくっきりしてきた感じにもなってきます。

さらに詰めていって、最終的には「明治維新を成功させた3つの理由」という表現にしてみます。日本の近代化を「明治維新の成功」という言葉にブラッシュアップして置き換え、さらに「3つの理由」とすることで具体性も感じられ、全体としてだいぶ見栄えがよくなってきます。

タイトルが決まったら次の作業に進みます。たとえば
「対象は誰か」

「現状の課題は何か」

「狙いはどこにあるのか」

「コストはどのくらいかかるのか」

「そのために段取りはどうするのか」

というような流れが続きます。先述の「F1層」や「F2層」の話でも出ましたが、ターゲットが曖昧では、狙いも段取りも企画内容そのものも決まりません。

また、具体的な段取りが曖昧では、企画の実現性は乏しくなります。企画書を読んだ相手が、「やりたいことはなんとなくわかるけれど、実際にどういう方法でやるの？」と聞いてくるでしょうから、それに答えるためには、より具体的な段取りを準備しておく必要があります。

実際、「段取り八分《はちぶ》」という言葉もあるとおり、段取りさえしっかりやっておけば、その仕事の8割は完了したと言ってもいいかもしれません。要するに、人に説明する前に、ひとりで企画書を書いている段階で、要点の絞り込み作業は終えてしまい、弱点を完全に埋めてしまっておくことが必要です。

「この表現じゃわかりづらいと言われてしまうかな」

「タイトルが弱いか」

「オリジナル性がないかも」

「段取りの甘さを指摘されそうだ」
「コスト計算が雑かな」

など、不安点が見つかったらすべて洗い出して、そう言われないような表現をできるだけ探し出し、この段階で入れ替えてしまいます。不安点を漏れなく見つけられるということは、言い方を換えれば、企画そのものを理解できているということです。

これらが最終的にぴたりとハマってくると、一般的には企画として優れているということになります。とどめに、インパクトのあるキャッチーなフレーズがあると、さらに訴求力と説得力が増すことになるわけです。

企画書の作り方は、基本的には自由ですし、必ずこの形でないといけないという決まったルールはありません。たとえば出版社であれば、会社ごとにフォーマットは異なり、当然ながら、テレビ番組の制作会社や広告代理店のそれとも違います。

話し方教室『セルフコンフィデンス』主宰の新田祥子さんは、ご著書の中で、①テーマ、②結論、③理由、④背景、⑤まとめ、という5段階に分けた企画書の作り方を提案されています。ここでご紹介しますので、参考にされてはいかがでしょうか（図F）。

図F

企画書の作り方の一例

5段階の設定項目	書く内容
①テーマ	タイトル
②結論	目的
③理由	趣旨
④背景	内容
⑤まとめ	※なくても可

『練習15分 論理力トレーニング教室』(新田祥子著／2008年／日本能率協会マネジメントセンター)を元に作成

頭の中の考えを企画書に書くという習慣を身につけていくと、書き慣れていくうちにフォーマットが頭の中に出来上がり、やがて何をするにも、考えることをそのフォーマットの中に落とし込んでいく癖がついてきます。

もっと言えば、何を見てもフォーマットに落とし込みたくなるということも起きてくるのです。こうなればしめたものです。

たとえば、テレビ番組を見ていても、「制作側が狙っている視聴者の対象はこの辺りだろう」とか、「ストーリーの流れはこう進んでいくのだろうな」というように、頭の中のフォーマットに従いながら、すでに出来上がっているコンテンツを、架空の企画書に落とし込むという、いわば逆算して考えるような癖がついていきます。

先述したように、わたしの授業では企画書を普段から作って考えることがあたりまえになっているので、学生たちもその作業をまったく苦にしていません。

ある学生は、就職試験を受けた企業から、「こういうテーマで企画書を出してください」と課題を出された際、ほとんどの人が3〜4件提出していた中、何十件も作って出せたとのことでした。結果、その学生はしっかり就職を決めたわけですが、これは企画の能力や積極性が評価されたと考えていいのではないでしょうか。

このように直感をフォーマットに落とし込んでいくという作業は、実は空手などの武道の型の訓練にとてもよく似ています。空手の型は実戦でそのまま使うとは限らないのですが、まずはあの型を体に染み込ませて覚えてしまうと、何かあったときに無意識で体が動くようになり、正しいフォームでの突きや蹴りを出せるようになるのです。

たとえば、2つか3つの型を完全に体に覚えさせれば、実戦でそれらをうまく組み合わせることで、完成度の高い空手の戦い方ができるということです。

少し古い映画ですが、『ベスト・キッド』（1984年）という作品の中で、空手の師匠が少年に壁のペンキ塗りをさせるという場面があります。

この壁塗りの際の手の動きは、実は相手の突きを避けるための動きで、師匠は壁塗りを朝から晩までさせることで、無意識に突きを避ける動きを覚えさせたわけです。

映画の中の話ですから、実際の空手のトレーニングに、ペンキ塗りの反復が有効かどうかはわかりませんが、あくまでたとえとして、型を習慣として染み込ませ、自然と体に覚えさせるという意味で共通するものがあります。武道の型の意味とはそこにあり、フォーマットの良さもそこにあるわけです。

フォーマットというのは、書き慣れない人にとっては未知の世界の面倒な作業に思えるかもしれませんが、やってみるとシンプルにおもしろい作業ですし、慣れるとできてしまうものです。騙されたと思って試しにひとつ書いてみれば、必ずまた別の企画書を書いてみたくなるはずです。

企画書という言葉が持つ堅いイメージが、ある種のハードルを上げてしまっているのかもしれません。簡単なものでいいですし、失敗してもいいのです。わたしはそれを、「段取りシート」とも呼んでいます。

実際、頭の中でもやもやしている不確かなものを、次々と拾い出してシートの上に文字にして並べてみて、わかりやすく整理されていくという過程は、心理的にもすっきりしますし、純粋に気持ちのいい作業です。

言い方を換えれば、「企画書的なものを書く」という行為を通じて、頭の働きを鍛えているということでもあります。最初はうまく作れなくても、失敗したら誰かに叱られるという話でもありません。遊び感覚で気軽にトライしてみて欲しいと思います。

企画書に落とし込んで頭の中を整理する癖をつけ、フォーマットという「型」に沿った思考が自然に身につけば、それはもうすでに論理的な思考がかなりのレベルでできるようになったということになります。

やがては紙に書いたり、パソコンでフォーマットに打ち込んだりしなくても、頭の中のフォーマットでざっくりと整理し、人に向かってすらすらとポイントを口に出して話せるようになるはずです。それこそが求めるべき理想の形ということになるでしょう。

フォーマット思考を身につける

論理を考えるうえでの「落とし穴」としてよく指摘されるのが、論理的で説明がうまいことが、必ずしも内容の信用度を保証するわけではないということです。

少し極端ではありますが、一つの例をここで挙げておきたいと思います。第二次世界大戦で関東軍の作戦参謀を務めた石原莞爾《いしわらかんじ》は、昭和15年に『世界最終戦論』という本を発表しました。内容は、最終的には東洋の代表として日本が生き残り、西洋文明の代表としてはアメリカが生き残り、その2つの国が最終戦争をするというものです。

今の時代にこの話を聞くと荒唐無稽に思えますが、読んでみると極めて論理的な構成で書かれていることがわかります。

しかし、結局はその「最終戦争」を信じて満州国で推し進めた関東軍の暴走が、当時の日本を破滅に導いたとも言われています。つまり、論理的ではあるけれども、内容が正しいことなのかというと、そこには議論があるわけです。

現代における詐欺集団というのも、人を騙すトークをさせると実に論理的です。犯罪者は犯罪者なりに脳をフル回転させて、人を騙すための合理性のある方法を常に考えているのです。これとて「論理」の一つの形ではあるのです。

あるいは詐欺とまでは言わないまでも、違法スレスレの方法で高額な商品を売りつける業者もいます。

「言葉巧み」とよく言いますが、論理的なビジネストークに乗せられて、ついつい購入してしまう事実上の被害者は多くいることでしょう。

「悪」となる発想をどんなに論理で取り繕っても、それは社会秩序の中で認められないのです。従って、論理的であるということだけでは、それ自体は実は何の社会的価値もないと言うこともできるのです。

論理的に話して相手を説得させることが第一義なのではなく、論理の目的は「正しく結果を出す」ということです。

わたしたちが気をつけなければならないのは、そのアイデアが実質的にどんな価値を生むのかということ、そしてそれが誰（どこ）にどんな影響を及ぼす可能性があるのかを常に問いかけることです。迷ったときには「フォーマット思考」に立ち返ってシートに落とし込み、確認してみて下さい。

その発想やアイデアに穴があるなら、シートに打ち込みながら「ターゲットの分析が正しくない」「段取りが粗すぎる」ということに気づくものです。

頭を冷やしてコーヒーでも飲みながら、パソコンでフォーマットに打ち込んでみると、思いがけない真実が見えてくるものです。

パソコンでフォーマットに打ち込むという方法とは別に、真っ白い紙に手書きで「こうかな、これかな」とキーワードを散らしながら、フリーハンドで文字や記号、図などを描いて理解していく作業も、頭の中の考えを整理したり、発想を引き出したりするうえでかなり有効で、お勧めしたい方法の一つです。

直感がぼんやりと浮かんでいるのに、まだその形がはっきりしない状態のときに、文字や図を書いて可視化していくというやり方です。

具体的には、たとえばA4くらいの紙を用意し（チラシの裏でもかまいません）、頭の中でもやもやしていることを線や図、文字にして、とにかく書いてみます。

こういう作業は、個人差はありますが、適度な雑音が飛び交うカフェのような場所でやるのがわたしはちょうどいいと思っています。

自宅の書斎や静かな会議室で、腕を組んで「うーん」と唸っていても、実はあまりいいアイデアなど浮かばないものです。

カフェは基本的にリラックスができる雰囲気を持つ空間ですし、「仕事場ではない場所」という非日常の意識もありますから、いい意味で遊び気分の、くだけた気持ちになれます。

アイデアをいじるときというのは、そういった感覚が大事であったりします。そういうもやもやを形にするには、メモによりアウトプットしてみるというのはとても大事で、そのためのメモ帳などを持ち歩く習慣をつけておいてもいいくらいです。

とにかく、何か浮かんだら必ず書いていく。そういう習慣をつけていくことです。街を歩いていて、「これいいな」と気になることもありますし、人と話をしていて、会話と関係ないようなアイデアが浮かぶこともあります。

あるいは、映画を観ている最中に、ストーリーと関連性がないような発想が、なぜか頭の中で閃くということもあるでしょう。

アイデアを生むには脳への刺激が必要ですから、映画を観たり人と話したりするときというのは、もともと直感や閃きが浮かびやすい時間なのです。

一方、閃いたアイデアというのは手ですくった魚のように、すぐにスルッと逃げていってしまうものです。記録して残さないと忘却の彼方に消えてしまいますから、まずはメモ帳という知の「生簀《いけす》」の中に入れておきましょう。

それがあとで役に立つことになるかどうかはわかりませんが、生簀で泳がせているうちに、いつか何かの形に化ける可能性はあります。せっかくの直感や閃きが無駄にならないように、日々貯めておくことが大事です。その蓄積があなたの発想の源になるのです。

マッピング・コミュニケーション

閃いたアイデアを具体化する方法として、紙の上に文字や図を描いて整理するやり方を紹介したわけですが、慣れてきたら、これを人と会話しながらやってみてください。「聞き上手は整理上手」という話を先にしましたが、その「整理」を、自分以外の人のために、紙とペンでやってあげるということです。

わたしはこれを「ペン・コミュニケーション」もしくは「マッピング・コミュニケーション」と呼んで、今でも日常の仕事に生かしています。

たとえば、上司との衝突でストレスが爆発してしまい、「会社を辞めたい！」と悩んでいる人がいたとします。こういうとき、人は頭が混乱して自分を客観視できなくなり、冷静で合理的な判断ができなくなるものです。そこで、話を聞きながらその人の言い分を図で可視化しつつ、順を踏んで思考を整理してあげるわけです。

まず第一に、選択肢は「辞める」か「辞めないか」の2つしかありませんから、

Aパターン＝辞める

Bパターン＝辞めない

以上の2つに分けて描いてみます。辞めた場合、次に転職する会社が決まっている場合と、決まっていない場合の2つに分かれ、さらに、決まっていない場合は

「ハローワークに行きますか」

「知人を頼りますか」

「しばらくは遊んでいますか」

というように、矢印で可能性を示していきます。また、辞めるにしても、今すぐ辞めるのか、数年後に辞めるつもりなのかを聞いてみて、「今すぐじゃない」ということになれば、「じゃ、すぐには辞めないでいいですね。とりあえずその間はどうしますか」と聞いて意志を確認してみます。

もし誰かに相談したいという場合、相談相手が「A、B、Cの3人いて、すでにAとBにはしたけれど答えは出なかった」となれば、残りはCしかいませんから、明日にでもしてみましょう、ということになります。そうこうしているうちにこんがらがっていた紐が、

徐々に解《ほど》けてきたような気がしてきます。

一方、その人が、仕事の中で何を一番重視しているのか、仕事に求めるものは何なのかという点も考えてみて、「一番大事なのは給料の額」という答えならば、「年齢を考えたら、今ここを辞めてこれ以上にいい給料をもらえる仕事は見つからないかもね」ということがわかってきます。

さらに、辞めた場合に想定されることをいろいろ拾い出してみたら、仮に上司からのストレスが無くなったとしても、「辞めたら辞めたで、将来の不安からそれ自体がより大きなストレスになりそう」ということが見えてきます。さらに、

「辞めてこちらだけがリスクを負うのもバカらしい」

「よく考えたら来年あたりに人事異動がある」

「上司か自分が異動になるかもしれない」

という事実も見えてきて、最終的には、

「もうしばらくこの会社にいたほうが、自分にとってのメリットは大きい」

という答えが見えてきます。仮に１００％の答えが見つからなくても、少なくとも「このあたりでどうだろうか」といった落としどころは確認できますし、何より図にしてみる

までごちゃごちゃになっていた問題が、構造的に整理できます。選択肢もはっきりと見えてくることで、頭の中はだいぶスッキリとしているでしょう。

もしこれを、図化せずに言葉だけで聞いていたらどうでしょうか。課長に対するネガティブエピソードが山盛りになって押し寄せてくるばかりで、しかも怒りと興奮から、おそらく話もまったくまとまっていないはずです。そんな話を延々と聞かされてもこちらは困りますし、悩んでいる本人にとっても問題の解決にはなりません。

事象を頭の中で図化する

このように、ものごとを図化する癖がついていくと、目の前で起きていることを構造化して、論理的に理解することができるようになります。

たとえば、会社でA、B、Cという3人が揉《も》めていて、仲裁に入った上司のあなたが、3人から順番に話を聞いていくとしましょう。その際に、この3人がどういう関係性にあるかによって、話の流れは大きく変わってきます。ここでは、3人の関係性を次の3パターンに分け、イメージの中で図化してみます。

・3人は役職がまったく同じで、能力もほぼ同じ、周囲からの評価も変わらない
・役職は同じだが、Aがリーダー格で、BとCはそれに従っている関係性
・Aが完全に抜きん出ていて、BはAに一目置き、Cは2人に逆らえない関係性

この中の、どのパターンにあるかによって、3人の会話が持つ意味もまったく違ってきますし、それを聞くあなたの心の準備も変わってくるでしょう。

3人がまったくの横並びの関係性であるならば、話の聞き方も平等でいいでしょうが、Aだけが抜きん出ているのならば、BとCに配慮した聞き方をすることで、多少は場の空気がなごむかもしれません。空気がなごめば会話も冷静になり、結果として解決の道が近づくかもしれません。

また、3人が完全な縦の関係にあり、社内におけるAとCの地位に大きく差があるような場合は、Cがなぜこの場であまり自己主張をしていないのか、なぜ口をもごもごさせながら、AとBに反論をしようとしないのか、その背景が見えてきます。そうなると、Cの

図G　事象を論理的に図化してみる

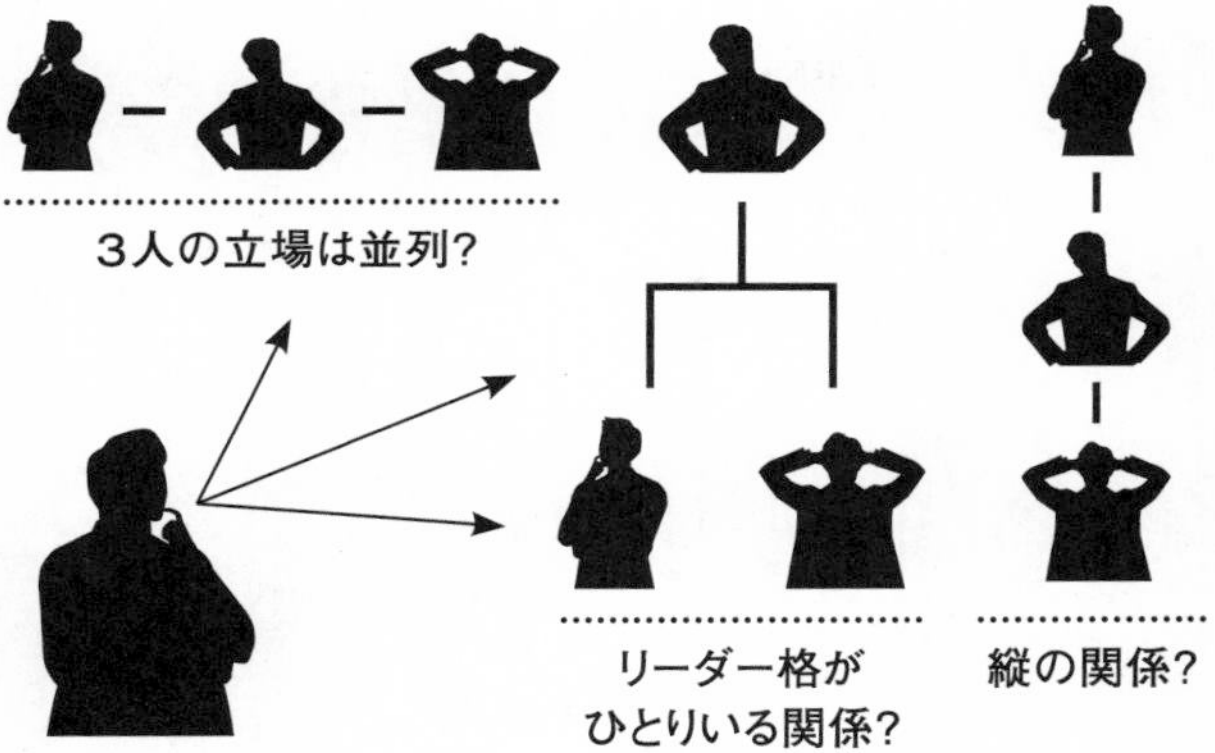

この場での発言を、額面どおりに受け取るわけにはいかないということになります。「あとでCだけを呼び出して、じっくり話を聞いてみる必要があるな」という発想が、その場で浮かんでくるかもしれません。（図G）

このように、論理的にものを考えられる人は、目の前で起きていることを頭の中で図化し、構造的に理解することに長けています。

別に、3人の目の前で唐突に絵を描きはじめる必要はありませんが、頭の中でこの作業をしてみて、全体像を瞬時に理解できれば、3人の会話の中身をより論理的に、より正しく理解することができるでしょう。

マッピング・コミュニケーションの癖がついていると、こうした作業が自然とできるようになります。

わたし自身も高校時代からこのやり方を、ある友達との間で何十年もやり続けています。思いつくと、教室でもカフェでも、紙を引っ張り出してきては、ああだこうだと言いつつ、書き込んで整理をしながら話すというのが常でした。

彼とは同じ大学へ進みましたが、そこでもこのやり方は続けていましたし、就職してからも友人らとビアガーデンへ行ったときなど、雑談をしながら紙を広げて2人で書きはじめたものです。

ところがあるとき、お店の人から「ここでは仕事はやめてください」と注意されてしまったことがあったのです。「仕事じゃないよ。ただの会話なんだよ」と説明したのですが、最後までわかってもらえなかったのを覚えています。なるほど、周囲からはそんなふうに見えるのかと2人で驚いたわけです。

つまり、それくらい一般社会では〝市民権〟を得ていないやり方ではあるのですが、非常に効果がある方法ですので、ぜひこの機会に覚えていただければと思います。

このマッピングコミュニケーション、やってみるとわかりますが、最初のうちは意外にうまくできません。実際に大学の授業や企業の研修など練習してもらうことがあるのですが、ほとんどの人が「会話」と「書く」を同時にできないのです。

聞いていると手が動かせず、手を動かしていると会話に集中できない。聞きながら、話しながら手をどんどん動かし、図化しながら〝会話〟をするというのが、やってみると意外に難しいことがわかります。

ある人は「自転車に乗りながらけん玉をやるより難しい」と言っていましたが、高校時代から習慣としてやってきたわたしと友人からすれば、不思議に思えてなりません。

とはいえ、ある程度の練習さえすれば、必ずできるようになります。まずはとにかく紙を広げて、図にして矢印を書いてみるといいでしょう。ぜひ今日から試してみてください。

時間軸を意識する

論理的にものごとを考えるうえで、時間軸を意識することはとても重要です。

たとえば、先ほどのマッピング・コミュニケーションでも、記号や矢印でＡパターン、Ｂパターンとやっていく方法の他に、とりあえず時系列に並べてみるという方法があります。こうすることで、問題点がスッキリ見えてくることがあるのです。

この時間軸を頭にしっかりと入れて話せる人が、論理性が高い人ということになるわけですが、話をするときに必ず時系列でアウトプットする必要はありません。重要なポイントから先に伝えるのであれば、どうしても時間の順番はずれてきますし、企画書（フォーマット）への打ち込み作業にしても時系列でするものではありません。

ただ、それは時間軸を無視していいということではなく、頭の中では整理できていなければなりません。

たとえば、ご近所トラブルで感情的になっている人などに、「話がごちゃごちゃしているようだけど、いったいどの時点の話ですか」と聞いてみたら、実はとんでもないところから話をはじめていたりすることがあります。

〈A↓B↓C↓D〉

という順番で起きていることがらも、その人の頭の中で強く印象に残っている順番に置き換えられてしまい、たとえば

〈C↓B↓D↓A〉

の順で話されてしまうと、事情を知らない人が1回聞いただけでは頭に入ってくるはず

がありません。

実際、警察の事情聴取というのは、錯綜《さくそう》している事実を整理するために、まずは時系列で話を聞きながら、何が起きたかを時間軸で並べるという作業をするそうです。

かつて、『刑事コロンボ』というアメリカのテレビドラマがあり、毎回必ず、犯人の殺害シーンからドラマがスタートする倒叙法を用いているのがお約束で、新鮮でした。

しかし、実際に警察が事件を捜査するときは、殺人が起こる日より前に、誰と誰がいつ知り合い、その後何が起こり、そして犯行へつながったというように、〈A→B→C→D〉の順番に従って時系列で整理していきます。

小説はカオス

一方で、小説や映画というのは、時間軸を無視することを許された世界です。芥川賞を受賞した又吉直樹さんの『火花』（2015年／文藝春秋）は、夏祭りのシーンから書き出しがはじまるのが印象的でした。

時間の順番で言えば、おそらく登場人物たちが生まれて学校へ行き、出会い、どこかのタイミングで漫才に興味を持ち……という時間の流れがあるはずです。

しかし、それを単純に時系列で並べるのが小説ではありませんし、それではおもしろくもなんともありません。むしろ時間軸についてはカオスでもいいのが小説です。複雑に絡み合う時間と人間の交錯こそが小説のおもしろさと言えます。

そこで、小説を「分解」して人物相関図を書いてみたり、出来事を時系列で確認してみたりすると、実は論理性を高めるうえで非常にいい練習になるのです。

小説を読んだり、複雑な映画を観たときに、頭の中でもいいですし、先ほどのように紙に描いてみてもいいので、まずは人物相関図を作ってみましょう。それぞれの関係性を矢印でつなげ、出来事を時系列に並べ替えてみる。すると「あ、そういうことだったのか」と、新事実があらためて発見できたり、わかったつもりだった登場人物の心情が、より深く理解できたりします。

『君の名は。』(2016年)というアニメ映画が大ヒットしましたが、あの作品は時間軸というものが物語の非常に重要な役割を担っています。なので、この「分解」と「並べ替え」をしてみると、複雑な内容がだんだんと解きほぐれていき、わかっていたつもりが、実は内容をよくわかっていなかったということになるかもしれません。実際、ネットで「君の名は、時系列」で検索すると、山ほど関連情報が出てくると思います。

ドストエフスキーの『カラマーゾフの兄弟』を、よく学生に授業で読んでもらうのですが、登場人物たちの関係性や物語の流れが複雑で、この小説も「分解」の教材には適した素材です。

人物相関図を描いてみて、誰と誰が親密な関係にあり、誰が誰に対して敵意を持ち、という作業をしてみると、難しいと感じていた物語への理解も一気に深まるでしょう。

交錯する時系列が心情を描写する　懐かしい　ちあきなおみの『喝采』

時系列で人間関係を確認するという意味では、楽曲の歌詞というのもいい教材になります。ちあきなおみさんの『喝采』（１９７２年）という有名な歌がありますが、あの歌詞を読み込んでみると、時間の順番がかなり交錯していることがわかります。

まず、歌詞のはじまりは「いつものように幕が開き　恋の歌唄う私」です。つまり、主

喝采

いつものように幕が開き
恋の歌唄う私に　Ⓐ

届いた報せは　黒い縁どりがありました　Ⓑ

あれは3年前
止めるあなた駅に残し
動き始めた汽車に一人飛び乗った　Ⓒ

ひなびた町の昼下がり
教会の前に佇み
喪服の私は　祈る言葉さえ失くしてた　Ⓓ

つたが絡まる白い壁
細い影長く落として
一人の私は　こぼす涙さえ忘れてた
暗い待合室
話す人もない私の耳に私の歌が通り過ぎて行く
いつものように幕が開く
降りそそぐライトのその中
それでも私は　今日も恋の歌唄ってる

人公は歌手で、今現在、ステージの幕が開いて、歌っているという場面です（Ａ）。

次に、「届いた報せは　黒い縁どりがありました」ということですから、通夜かお葬式の知らせが、歌っている〝私〟に届いたということになります（Ｂ）。

そして、ここで突然、「あれは3年前」という回想シーンに入り、「止めるあなた駅に残し　動き始めた汽車に一人飛び乗った」とありますから、歌を歌っている時点より3年前に、交際していた男性が止めるのを聞かずに、恋を捨てて歌手を目指し、汽車へ乗って東京へやってきたことがわかります（Ｃ）。

そして最後に、「教会の前に佇み　喪服の私は祈る言葉さえ失くしてた」と続きますので、故郷へ残してきた男性は亡くなり、前述の「黒い縁どりの報せ」はその男性の訃報で、主人公の女性はお葬式が行われた教会の前で、悲しみにくれていることがわかります（D）。

つまり、これを時系列に並べると、C↓A↓B↓Dの順になり、1番の歌詞を時間軸で見ると左のようになると考えられます。

〈3年前に歌手を目指して汽車に飛び乗り東京へ向かった〉…C

↓

〈歌手になることができた〉

↓

〈ステージでいつものように歌っている〉…A

↓

〈黒い縁どりの訃報が届く〉…B

↓

〈喪服を着て教会の前で悲嘆にくれている〉…D

さらに、2番の歌詞の最後が、「いつものように幕が開く　降りそそぐライトのその中　それでも私は今日も恋の歌唄ってる」

とありますので、おそらく時間的に一番新しいのはここと考えていいでしょう。1番の出だしと同じ「幕が開く」という表現ですが、それよりもあとの出来事と考えていいと思います。

つけ加えると、その前の

「暗い待合室　話す人もない私の耳に私の歌が通り過ぎて行く」

とありますから、自分の歌がラジオかテレビから流れて聞こえているということで、この主人公が成功している歌手であることも推察されます。

『喝采』は、このような時間の経過で内容が描かれています。歌詞というのは、時間や人間関係の描写が省略され、限られた文字数の中に凝縮されているものが多いですが、このように時系列とともに関係性や心情の変化を見直してみると、歌への理解がより深まることと思います。

実は示唆に富んでいる童謡『ぞうさん』

時間軸の話とは離れますが、論理性という面から、歌詞の分析をもう少し続けてみましょう。童謡の『ぞうさん』という有名な歌がありますが、非常に短くてシンプルな歌詞でありながら、そこから読み取れる内容は、なかなかに示唆に富んでいます。

「ぞうさん、ぞうさん、お鼻が長いのね」

と誰かが言ったことに対し、

「そうよ母さんも長いのよ」

と誰かが返したという、AとBという2者による会話だという理解からはじまります。

次に、AとBが誰であるかですが、少なくともBは、「母さんも長い」と言っているわけですから、象の子どもであることは明らかです。

問題はAが誰かということですが、もしAが仲間の象であれば、「ぞうさん、ぞうさん」と呼びかけることもありませんし、「鼻が長いんだね」という会話もするはずがないですから、論理的に考えれば象ではないことがわかります。性別については「お鼻が長いのね」という言葉の使い方から、一般的には女（メス）ということになるでしょう。

こうして考えていくと、おそらく他の動物が象の子どもに近づいてきて、

「あなた、鼻がものすごく長いのね（笑）」

と、茶化しているのではないかという関係性が浮かんできます。いじめと表現していいかは微妙ですが、からかっているという雰囲気は伝わってきます。

ところが、言われた側の象の子はまったく意に介さず、

「そうよ、母さんも長いのよ」

「鼻が長いことなんて気にしないよ」

「だって、大好きなお母さんも同じように長いんだから」

という素直な気持ちを言葉にしています。

この歌詞は、明治の生まれで、１０４歳でお亡くなりになった詩人のまど・みちおさんの作品です。実際、まどさんは『まど・みちお――「ぞうさん」の詩人』（２０００年／河出書房新社）の中で、「子ゾウが悪口を言われた時の歌である」と書かれています。悪口に対してしょげたりせずに、「大好きなお母さんも長いのよ」とおおらかに切り返している姿を描いたそうです。

おそらくほとんどの日本人が『ぞうさん』を歌ったことがあるはずですが、この歌詞が

誰かと誰かの会話であることすら、意識せずに歌っていた人は多いと思います。意味を理解したうえで、あらためて歌を聴いてみると、楽曲の世界観が今までの何倍も深く心に染みてくるのではないでしょうか。

最後に、詩人の三好達治さんの『土』という作品をご紹介します。

ありが
ちょうの羽をひいて行く
ああ
ヨットのやうだ

この詩は実際に学校の教材としても使われています。シンプルで短い表現の詩の中から、どれだけのことが読み取れるかを、子どもたちに好きなだけ言ってもらうという授業を見学したことがあります。

まず、蟻《あり》が引いている蝶《ちょう》の羽が、まるでヨットの帆のようであるという光景は想像できると思います。真上から見下ろしているというよりは、「土」というタイトルや、羽がヨットのように見えるということから、視点は地面すれすれの低い位置にあることが、映像として想起できます。

また、蝶がヨットであるなら、タイトルの「土」は海の比喩であり、どちらも「大自然」「生命の源」

というようなイメージが共通しています。

また、三行目の「ああ」という言葉も、決して「死んだ虫を引きずる悲惨さ」を嘆いたときの「ああ」ではなく、自然の営みに対する感動や感嘆、あるいは自然界の摂理に対する畏怖のような感情を表現したのだろうと考えられます。

この場合は、正解も不正解もあまり気にしないで、自由な発想で、思いつくことを細かく言葉にして挙げていくと、論理性とともに想像力も豊かになり、何より作業として楽しいことにも気づきます。

蝶の羽がヨットの帆であるなら、蝶の種類はもしかしたらモンシロチョウかもしれませんし、そうじゃないかもしれません。このように、歌詞や詩、現代文などから、文脈や人間関係、世界観を読み取れるかどうかが大きなポイントとなるのです。

事実、言語の理解を大雑把《おおざっぱ》にしないというのは非常に重要かつ根源的です。哲学者のルートヴィヒ・ウィトゲンシュタインらが提唱した「分析哲学」は、言語や概念の分析をとおして世界を捉えようとしました。

簡単に言えば、哲学の問題はすべて言語問題に行きつくという考え方です。難しい哲学の問題も、結局は全部が言葉の問題だということです。

曖昧な言葉の使い方をしているうちは、問題は何も解決しないし、言葉を徹底的に、正確に、精密に、緻密に整理していけば、どんな哲学も答えが出る——。哲学の概念とはそれほど言葉の緻密さを重要視しているということ、そして論理は言葉と不可分であるということを知っていただければと思います。

四章

要約して伝える技術をマスターする

要約力を身につけるコボちゃん作文

話を論理的に要約する練習として、「コボちゃん作文」という方法があります。都内で「国語専科教室」を主宰していた故・工藤順一さんが考案したもので、4コマ漫画の『コボちゃん』（植田まさし作／1982年～／読売新聞連載）を読んで、その内容を短い文章で表すというもの。これにより要約力を身につけるというトレーニングです。

子どもに「作文の練習を毎日しなさい」と言っても、まずは題材となるテーマを見つけるのが大変です。ところが、新聞の4コマ漫画は毎日連載していますから、ネタ探しには苦労しません。よってすぐに課題に取り組めるということです。

「最初の文はできるだけ短く」とか、「直接話法を間接話法で書く」など、いくつかルールのようなものもあり、たとえばコボちゃんが「もうダメだ」と言っている場面がもしあれば、「コボちゃんは絶望しました」と文章表現していきます。最終的に150字くらいの文字数でおさめ、最後にオチが伝わって笑えれば合格です。

やってみるとわかるのですが、文章を要約することが苦手な人にとっては、最初のうちはなかなか難しい作業です。たとえば1コマ目から起承転結にこだわって、つらつらと作文のように書き綴《つづ》っているだけだと、簡単に文字数が150字を超えてしまいますし、意味そのものがわかりづらくなってしまいます。要約力とは、話の要点を鍵となるワードでつかむということで、コボちゃん作文にはこの要約力が求められます。それには、しっかりした視点も必要です。

たとえばこれを、コボちゃんではなく、誰もが知っている童話に置き換えてもいいでしょう。たとえば「浦島太郎の話を要約してみなさい」と言われたときに、

「助けた亀に連れられて竜宮城へ行った男が、玉手箱を土産にもらって帰り、開けてみたら老人になった。つまり、楽しいことに埋没していると、時間はすぐに過ぎてしまうという、人生のはかなさを寓意《ぐうい》している物語です」

とまとめてみたら、これはこれでひとつの要約です。仮にこれを、ひとつのコンテンツとして企画会議にかけるのなら、

「やっぱり、助けた亀が連れていくというところが大きなポイントだよな」

「うん、亀は外せないよね」

ということになり、

「それ以外に鍵となるのは竜宮城、玉手箱……」

と肝となるアイテムがつながり、最後に
「一番重要なのが、玉手箱で一瞬にして歳をとるというオチだな」

というところまでの流れが確認されます。つまり、亀も竜宮城も玉手箱も、この劇的なオチに向けた長い前振りということが見えてくるわけです。

そのうえで、この物語のキーワードは何だと言われたら、たとえば
「亀」「竜宮城」「玉手箱」

となりますし、さらに掘り下げて、その竜宮城のキーワードが何かと言えば、

「海の底」「乙姫様」「タイやヒラメの舞い」

などが挙がってきます。このように、キーワードを拾い出すときは3つというのをひとつの基準にしてみてください。

2つでも4つでも決してダメというわけではないのですが、まずはテーマ全体を3つの視点で捉える習慣がつくと、頭の中のイメージが三脚で立つようにしっかりと安定します。

この「3つ」についてはあとでも詳しく述べたいと思います。

このように、キーワードが浮き立つようにどんどん出てくるような企画は、一般的にはヒットするポテンシャルを秘めていると考えられます。

「タイやヒラメの舞い」なんて、現実のものとして想像すればワクワクする設定ですし、今で言えばアイドルグループのパフォーマンスのような発想にもどこかつながります。

さらにワードを正しく拾えているということは、スタッフが企画内容を正しく理解しているということにもなるわけです。

伝えたい結論は「楽しい時間は時を忘れさせる」「気がついたときには人生は終わっている」という、いわば教訓めいたことなのですが、最初から教訓だけ突きつけられても、観る側はあまりおもしろくありません。

その教訓を物語として上手に仕立て上げ、亀や竜宮城という魅力的なワードをちりばめながら、説教くさくならないように、エンターテインメントとして伝えていくということなのです。

伝える技術に必要な「3」の意味

3つのキーワードについてはすでに述べましたが、この「3」という数字は、論理を考

図Ｈ

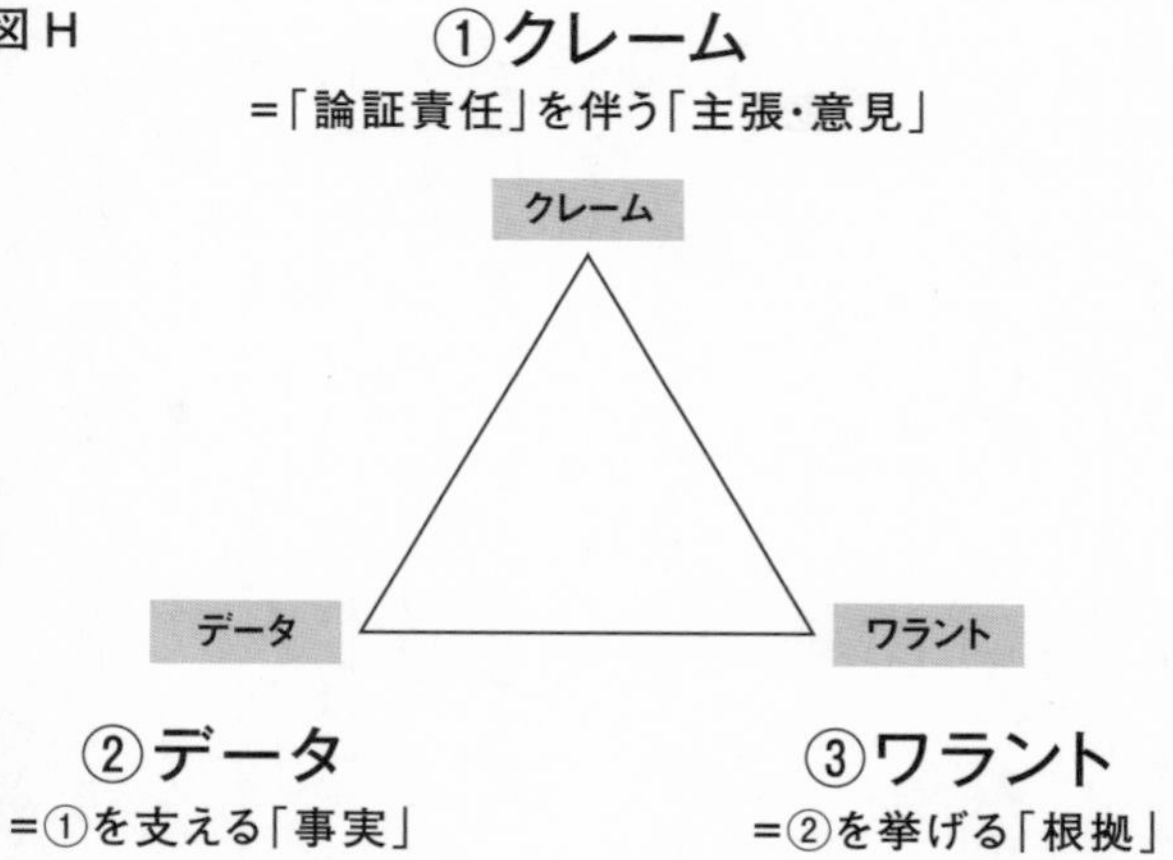

える上でなかなか象徴的です。

言語論理教育の専門家である横山雅彦さんは、著書『「超」入門！論理トレーニング』（２０１６年／ちくま新書）などの中で、ディベートの原則的なルールとして、３つの前提による「三角ロジック」を提唱されています（図Ｈ）。これは、哲学者のスティーヴン・トゥールミンが唱えた理論を、横山さんが独自にアレンジしたものです。それによると、論証責任には

①論証責任を伴う主張・意見
②「①」を支えるデータ
③「②」を挙げる根拠

以上の3つが必ず必要であるとしています。専門的な詳しい説明はここでは省きますが、論理の構造を知るための重要な原則のひとつですので、興味のある方はぜひ調べて読んでみてください。説明力を高めるために必ず役に立つはずです。

このように、論理学に関する本を読んでいると、「3」という数字にときどき出くわします。とりあえずA、B、Cの3つのケースを考えてみる癖がつくと、論理的な思考が自然とできるようになってきます。

「選択肢は何ですか」と聞かれたときに、「AかBです」でもいいのですが、できれば「A、B、Cの3つ」と無理にでも3枠設ける思考法を身につけておくと、結果的に漏れというものが少なくなります。

哲学者のデカルトは「全部列挙する」と『方法序説』で書きましたが、現実に全部を列挙するには完璧な分析と時間が必要ですし、忙しい現代社会に生きるわたしたちには難しいでしょう。現実的なところで3つということになると思います。

たとえ3つでも絞り込んで列挙してみると、自然とその3つに優先順位をつけられるようになり、それにより一応の論理の道筋が見え、大枠の中で筋や流れを把握できるようになります。

「Aを進めるとこうなります。BやCを進めるとこうなります」ということを、実は自分が自分に説明するという作業にもなってきて、それが思考力を高めることにつながります。先述した「自分が自分の直感の弁護士になる」という考え方にも重なるわけです。

論理という世界で「3つ」という数字に意味があることがおわかりいただけたと思います。ちなみに、わたしは段取りシート（一般的には企画書）に、何かキーワードを入れたいと考えるとき、3つくらいの言葉を入れてみることをひとつのやり方にしています。

少しベタな例えで言えば、フランス革命は

「自由」「平等」「友愛」

という3つのワードが鍵となります。ひとことで言うより、このように3つの要素が続くと、革命の理念が伝わりやすいという印象を持つと思います。

ワンワードで「民主主義」と言われて、「なんとなくは分かるけど……」と感じる人でも、「自由と平等と友愛！」という印象に残るキーワードを3つ並べてみることで、不思議なほど話に厚みが生まれ、説得力を持つようになります。

同じように、「真・善・美」や「心・技・体」と言われると、多くの人は「なるほど、ひとことで言われるより意味が伝わるね」と納得するはずです。

3つのキーワードを結ぶことで、言うならば頭の中に三角形のような構造ができるわけです。別の言い方をすると、「思考の三脚が立つ」というイメージで捉えるとわかりやすいかもしれません。

一本足だと倒れてしまいますが、足が3つなら安定して倒れないわけです。

このように、企画を立ち上げるときには、肝となるポイントを「3つのキーワード」に落とし込んで説明する習慣を身につけるといいでしょう。

わたしの大学の授業でも、この手の練習を学生にしてもらうことがあります。テーマとなる〝お題〟を出し、とにかく「3」という縛りをかけたうえで、「このお題を3つのキーワードを使って1分でまとめてください」とオーダーするわけです。

先述したドラマの『逃げ恥』がお題ならば、「あのドラマのポイントは何だろう」と学生は一生懸命に考え、「偽装結婚、労使契約、それと……自尊感情の低さでしょうか」というい具合に、なんとかして肝となりそうなワードを3つ見つけてきます。

そういう練習をしていくと、全体を3つの視点で捉える思考の握力のようなものが生まれ、ものごとを「三脚で捉える」という思考習慣が身についてくるのです。大事なのはこ

図1

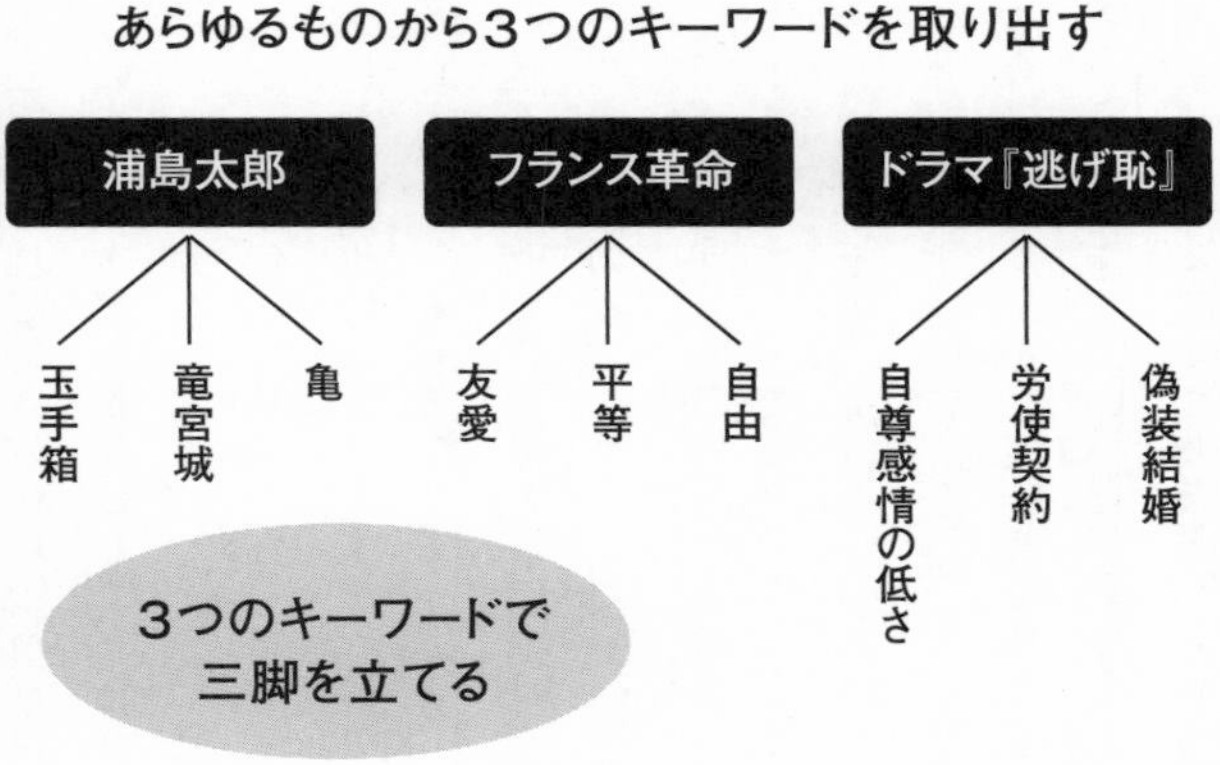

の習慣です。（図1）

ここで言うキーワードとは、つまりはその企画や物語の一番重要でおいしいところです。料理で言えば、シャトーブリアンのようなA5級肉の一番おいしいところを3つ抜き出し、「はい、どうぞ」と相手に出してあげることです。

その取り出す練習を重ねることで、論理的にものごとを考えられるようになり、ひいては説明力が向上することになるのです。

小論文

論理性を見分ける代表的な手法のひとつに、小論文を書かせるというものがあります。一般に論理的と評価されている人は、たいてい論文を書くのが得意ですし、対して感覚的と言われる人ほど、真っさらな原稿用紙を見るだけでため息が出るくらい、作文そのものが苦手ということになります。

わたしは若いころ、予備校で小論文の添削のアルバイトを何年もやっていまして、1度の仕事で何百枚という数を採点していたのですが、慣れてくると添削のポイントがわかってきて、やがて短時間で採点ができるようになってきました。

というのも、小論文の採点というのは、別に自分の主観で勝手にやっているのではなくて、あらかじめ「採点会議」というのを開き、そこで基準をしっかりと決めるわけです。小学生に対して「自由に好きなことを書いていいんだよ」と言うような、一般的な「作文」とは求められるものがまったく違います。

具体的には、「60点の答案はこう」という形で平均的なラインをまず決めるのですが、1行目からしっかりと主張が書かれていないような、言わばもたもたしている文章は、絶対に70点や80点には達しません。

事実、小論文というのは判断基準が実に明確で「くっきり」としています。

「○○は△△である」という「命題」や、

「○○は△△ではないか」という「問い」の形で、

書き出しの段階から主張のポイントが出ているかどうか、そしてその論拠をしっかりと書き示せているかが決め手となります。実際、予備校の小論文の授業でも書き方をそう教えられます。

すなわち、理想的な書き出しは2とおりです。お題として出されたテーマが、はっきりとした出題なら「命題」、漠然としていれば「問い」です。論文の書き出しは必ずこの2つのどちらかになるのです。では、「はっきり」と「漠然」とはどういうことなのか。

たとえば、「ジブリ作品がなぜヒットを続けているかについて考えを論じなさい」というテーマであれば、これは比較的「はっきり」したテーマですから、命題として結論から書き出します。例を挙げると

・「ジブリ作品の主人公は、自立した魅力的な女性が多く、これが世界の女性たちへの熱い応援メッセージとなっているからだ」

・「環境や平和など、普遍的で大きなテーマを内在する作品が多く、国際的に共有されている価値観と合致し、ファンタジー性とも相まって、特異な世界観を展開しているからだ」

というような具合です。

一方、「ジブリ作品について自由に論じなさい」という「曖昧」なテーマであれば、

・「なぜ宮崎駿監督作品は、国境を越えて世界中から愛されるのだろうか」

と「問い」で書き出してみて、続けて

・「国や時代に縛られない自由な舞台設定と、その根底に横たわる宮崎氏の徹底した観察力と洞察力が、作品の完成度を……」

というように結論を出し、これだけで1段落を終えてしまいます。

仮にこれを、「命題」でも「問い」でもなく、書き出しから「思えば、わたしが初めてジブリ作品を見たのは小学校5年生のときで」「父が買ってきてくれたＤＶＤが」「そのときは本当に感動した。さて、ジブリであるが……」というように、延々と昔の思い出話が綴られているような〝作文〟は、絶対に60点という平均点をとることができません。

もしこのような実体験をどうしても書きたいのであれば、まずは結論を先に述べたあとに、それを補完する材料として使ったほうがいいでしょう。

また、最近のビジネスシーンでは「エビデンス」（証拠）という言葉が一般化しています。新聞や雑誌でも、「この健康法の科学的根拠」と言うところを、あえて「エビデンス」という言い方にすることが多くなりました。

会社の会議でも「エビデンスはどうなってるの」なんて質問してみると、相手は「この人は根拠や裏付けの重要性を求めているな」と感心してくれるかもしれません。要するに小論文でもデータなどで根拠を明確に示せているかどうか、なぜそう言えるのかという論拠ができているかで、70点以上になるかがおおよそ決まってくるわけです。

いくらいい発想を持っている人でも、こうした小論文の基本的なルールを知識として身につけていないと、どう頑張ってももやもやした書き方になってしまいます。

先にも触れましたが、小学校低学年生の書く作文というものは、「朝起きて、歯を磨いて、それから着替えて……」というように、時系列で物語のように書き綴ってしまいがちです。言ってみれば、普段の話し方をそのまま文字にした形です。

お酒の席で思いつくままに話し始めるような書き方ではなく、たとえばプレゼンの場でポイントを先にズバリと伝え、あとから段取りを説明するような、論理的でメリハリのついた書き方が小論文にも求められるということです。

『踊る！さんま御殿!!』はエピソード力の戦場

飲み会の場で話をするときに、「小論文のように構成して話そう」とか、「プレゼンのように論拠を明解に示して伝えよう」などと考えて話している人はおそらくいないでしょうし、そんな必要もないかもしれません。

「そういえば今日さ」というあたりから話がはじまって、頭に浮かんだとおりに、ずるずると物語的に話していくのが普通だと思います。

この「ずるずる話」を、比較的聞きやすくまとめるスキルとして、キャッチーなエピソードを添えて相手を惹きつけるという方法があります。話の中に印象的なエピソードを挟み込んで、これもやはりメリハリをつけるということです。

論理性と必ずしも直接結びつくものではありませんが、アウトプット力を高めることにはつながります。エピソードという注目点がひとつ加わるだけで、「ずるずる」「だらだら」が一気にギュッとまとまるのです。

大学のわたしの授業で言えば、出されたお題に沿ったエピソードを過去の経験などから思い出し、それを会話の中に入れて話してもらうということをやっています。

この練習を繰り返していくと、会話の中で「ネタ」的なものを頭の中から拾い出す作業がどんどん上手になり、エピソードトークが大の苦手と言っていたような学生でも、ストレスなく話せるようになってきます。

何年か前に『踊る！ さんま御殿‼』（日本テレビ系）に出させていただいたことがあったのですが、あそこもタレントさんたちがエピソードトークを出し合う場のひとつでした。一般の人が『さんま御殿』に出ることはないと思いますが、「日常会話をエピソードで惹きつける」というテーマにおいては参考になるはずです。

実際、あの場所に呼ばれてエピソードを何も持っていないと、決して大げさではなく、ずっと黙ったままということになってしまいます。

ご承知のとおり、『さんま御殿』は、ディベートを戦わせる場ではありません。それぞれがおもしろいエピソードを紹介し合って、場の空気を盛り上げるということを目的とした空間です。適格なエピソードを瞬時に思い出して話せる人というのは、たいていは論理力を持っている人です。エピソードはだらだらと長く話してもつまらなくなりますし、あまり抽象的だったり、原理的だったりしてもうまく伝わりません。

相手が情景をイメージしやすいように、具体的な要素を取り入れながら、コンパクトにまとめる力も必要です。

番組でひとりが1回に話せる時間は長くて10秒、できれば5〜6秒ぐらいでまとめることが求められます。そうでないと番組の編集上、使いづらいという事情もあります。10秒話してドッとウケて盛り上がったところで、さらに5秒、とつけ足していくのが許される場面もありますが、ひとりで30秒ぐらい延々と話してしまった場合というのは、たいていは編集で丸ごとカットされてしまいます。

そうならないために、エピソードの取り出し方をシャープにしていく練習が必要なわけです。実際、皆さんがテレビを観ていても、話の切り出し方が鋭い人とそうでない人の差を感じることはあると思います。

同じエピソードを話すにしても、根幹の部分をポンッと手短に3〜5秒ぐらいで話せると、出演者さんや制作スタッフの方からしたら「お、切れ味いいな」「トークをわかってるね」ということになっていくわけです。

長い話はテレビで切られる

こんなふうに偉そうに言っているわたしですが、実は過去に何度かテレビで失敗もしています。ある民放の番組で、一般の子どもたちが出てくるＶＴＲ映像に対して、ゲストとしてコメントをするという役割で呼ばれたときのことです。

わたしは当時、教育学者として呼ばれたという認識があったものですから、「幼児期にはこういうことが非常に効果的で」とか、「子どもの自己意識の中ではこうで」「アイデンティティーは」というような、少し専門的な話を、意図的に丁寧にしてみたのです。要するに、そういうコメントを制作側から求められていると思っていたわけです。

ところが、数日後にその番組のプロデューサーさんがわが家へ謝りに来てくれまして、「実はほとんどカットになりました。申し訳ありません」と言うわけです。

「先生のお話はとてもいい内容だったのですが」「先生のせいではないのです。現場を叱っておきました」とおっしゃるので、こちらはもちろん「全然かまいませんよ」と答えたのです。そしてそのときに悟ったのが、「テレビでは長い話は切られてしまう」ということです。

文字数が多い新聞記事がバッサリ切られてしまうのと同じです。

専門的な長い話はバラエティ番組には向いていませんから、一瞬の短い間の中で、切れ味のいい言葉を投げ入れたり、怒ったり、泣いたり、あるいはこけてみたり、そういう瞬発的な行為のスキルに長けた芸人さんのほうが適しているということです。

もっとも、いわゆる天然系と呼ばれるタレントさんのように、意図して笑わせようとしてはいないのに、普通にしゃべっているだけで笑いを連発して取ってしまう人もいます。

滝沢カレンさんと一緒にわたしも『さんま御殿』に出演していたときのこと、ゲームのテトリスを説明しようとした滝沢さんが、落ちてくるブロックを説明するのに「棒状の棒」と表現し、スタジオを大爆笑で包みました。

滝沢さんと言えば、ご承知のとおり、独特な日本語の使い方と、天然キャラのおもしろさに定評がありますが、「棒状の棒」はさすがにツボにハマってしまい、思わず「安部公房の哲学的な小説をも超えましたね」と言ってしまったのです。それが後日、「齋藤孝が大絶賛」とネットニュースになってしまいました。

天然というのはある種の才能ですから、滝沢さんのトークを真似しようとしても、プロの芸人さんでもできないと思います。その滝沢さんの放つ言葉を、さらに膨らませておもしろく展開できるのが芸人さんということです。

「タレントの滝沢カレンがテレビでテトリスを『棒状の棒』と言った」という話は、エピソード的にはとんでもなくおもしろいわけですから、それを一般の方が友人との会話の中で披露する場合、どのタイミングで、どのような長さで、どのようなトーンで話すかが問われることになるわけです。

タレントの番宣に学ぶ

映画というコンテンツが作られる場合、たとえば脚本家がプロデューサーへ売り込みをかけるようなケースもあるようなのですが、その際に手短に伝えないと、相手も忙しいですから聞いてもらえなかったりします。

いくらプロット（物語の筋）をコンパクトにまとめてあっても、その要約したプロットがおもしろくなければ、「それじゃウケないね」となって終了です。

テレビでは「番宣」（番組宣伝）と呼ばれるものがあり、新しくはじまる番組の内容を、出演者が同じ系列局の別の番組で披露することがあります。このとき、コンパクトにまとめるのは当然として、おもしろく伝えられなければ目的が果たせたとは言えません。

わたしも朝の情報番組のMCをやっていた時期がありましたので、この番宣をすぐ横で見ている機会が何度かありました。

たいていは15秒から30秒の枠の中で、簡単なあらすじや見どころを話してもらうわけですが、それを聞いて「おもしろそうだな」と思うときもあれば、「うーん、微妙だなぁ……」と感じるときもあるわけです。

制作スタッフが用意したものをそのまま読み上げるケースもありますが、それとて上手な人とそうでない人とではどうしても差が出ます。原稿を読み終わったあとに、まだ多少の時間的な余裕があれば、アドリブで話してもらうこともあるわけです。

その際に、ただ「絶対おもしろいんです」とか「とにかく見てください」を連呼しても視聴者にはなかなか伝わりません。先ほどの「ヤバい」とか「超〜」の話と同じで、「ヤバいくらいおもしろいですから！」「超笑えますよ」と言われても、何がどのようにおもしろそうなのか、想像することができないわけです。

できればもっと具体的に、

「ここが今までのバラエティと少し変わっているところなんです」

「ここがこれまでになかった新感覚の情報番組なんです」

という具合に、違いと特徴を明確にしてもらえると、聞いている側も「なるほど、それはたしかにおもしろそうだ」「じゃあ観てみようかな」という気持ちになるわけです。

架空のCMを作ってみる

とはいえ、お茶の間でテレビを見ながら「この人、あんまり番宣がうまくないね」と評論するのは簡単ですが、では、もし皆さんがその当事者だったら、はたして上手にプレゼンができるでしょうか。そこで試しにやってみていただきたいのが、自分が出演者になったつもりになって、架空の番宣を実際にやってみるということです。

先ほど、ドラマ『逃げ恥』や浦島太郎を分析してキーワードにまとめてみましたが、あの別パターンと考えていいかもしれません。

たとえば、今度新しく医療系のドラマがはじまるといったとき、これをどのように宣伝することができるのか。「もう、医療系は散々やりつくしましたからね、実は似たような作品なんですよ」なんて、仮に頭で思っていても、絶対に言うわけにはいきません。

テレビカメラが回って生放送で流れていると想像してみましょう。なんとしてでも、新しい点や特徴を見つけ出す必要があります。

そのうえで、浦島太郎のときのように、短くプロットをまとめてみて、30秒から1分くらいのスパンで説明してみてください。

やってみると、想像の3倍くらい難しいことに気づくと思います。同時に「意外におもしろいじゃん」と感じる方も多いのではないでしょうか。特に繰り返していくとコツがつかめてきて、ポイントを伝えるのがどんどん上手になっていきます。

これはドラマの番宣に限る必要はなく、スーパーやコンビニで見かけて気になった商品など、なんでも代用できます。

新しいタイプのお菓子が発売されていたら、その商品のＣＭを作る代理店のディレクターになったと妄想し（なりきることが大事です）、セールスポイントが何なのかを拾い出し、キーワードを見つけ、プロットを立ててみます。

実際、わたしたちの身の回りは、このように「代わりに説明できる」モノで溢れています。コンビニへ行けば、いろんな商品が棚に並んでいますので、〝教材〟を見つけてくるのは簡単です。

あえて違いのわかりにくい、ガムのような商品を選んでもおもしろいかもしれません。並べてみたらそっくりの商品が多いなかで、今回のガムはここが違うという差別化した価値を消費者にどう伝えるか。無理やりでもいいのでポイントを見つけ出して、紙に書き出してみたり、段取りシートのようなものに打ち出してみたりするといいでしょう。

同じようなフルーツ系のガムでも、

「国産果汁を初めて使いました」

となると、「国産ということは、なんとなく体によさそうだ」「健康志向の製品なのかな」という印象を受けます。あるいは同じミント系でも

「すっきり感が当社比3倍に」

と言われると特別感が増しますし、「ミント系がいくつも並んでいるけど、これを選ん

でみるか」と思う人もいるかもしれません。事実、商品に価値が生まれるのは、このような差別化した価値があるからなのです。

AとBを比較する「AB方式」

このように、わずかでもいいので価値の差異を相手に伝えるときの有効な手段のひとつが、

「AとBはここが違う」

という、比較対象を見つけて分析する方法です。

単に「この商品は……」と説明されるより、今まであったお馴染みの商品Aと比較して、

「あのAと比べてBはこれだけ違うんです」

と言われたほうがわかりやすいわけです。家族が晩ご飯用にレトルトのカレーを買ってきて、「おいしそうでしょ」と言われても、「まあ、カレーってだいたいこんなもんじゃないの」と思ってしまいがちです。ところが、今まで食べていたカレーAと比較することで、

「BはAより具が多いのか」「Aと比べたら味も深みがあるね」ということになって、その差異を肌身で実感できるのです。

このように、AとBを比較する「AB方式」を常に心掛けていくと、なぜAがいいのか悪いのか、Bと比較してこの点がこれだけ違うという具体的な判断が常にできるようになり、必然的にその人の意見はいつも論理的に響くということになります。

憲法の予備知識がない人に「日本国憲法とは……」と話しはじめても、なかなかピンときてくれませんが、たとえば大日本帝国憲法を先にポイントだけ説明し、その部分を比較して現在の憲法を説明すると、「なるほど、この条文がこうなっていることの意味はこれなのか。この人の説明は論理的だ」となるわけです。

このAB方式は文章を読解するときも応用が利きますので、慣れてくるとどんな難しい文章も、結局は「AかBのどちらか」という見方ができるようになります。実際、東京大学の国語入試に出される現代文の問題などは基本的にすべてそれに当てはまります。「AB方式」を理解していれば、正解を導くうえで非常に強い武器になります。

たとえば、試験に出された文章が「管理社会」について書かれたものである場合、筆者の立場は必ず次のどちらかになります。

「管理社会に批判的（A）」
「管理社会に肯定的（B）」

そして、筆者がAとBのどちらなのかを考えながら読み進め、最終的に「この人は管理社会を批判する側の人、つまりAなんだな」ということが理解できれば、そのうえで「この試験の問題が、AとBのどちらを勝たせたいのか」を考えます。そして、「Aを勝たせたいとの前提で作られた問題」というところまでわかれば、テストの正解は「このあたりの選択肢にあるな」ということが絞れてくるわけです。

似たような例では「資本主義と社会主義」あるいは「大きな政府と小さな政府」、もしくは「都市型生活と田舎暮らし」という〝対立軸〟の問題が出されるかもしれません。そのための対策は、どれも基本的に同じ「AB方式」ということになります。

ちなみに、わたしはこれに好き嫌いの要素をプラスして、「好き嫌い方式」で理解をするようにしています。

要するに、何が好きでこの人はこの文章を書いているのか、または何が嫌いでこういう論陣を張っているのかという前提をまず把握し、たとえば「この人は実はネット社会をほとんど憎しみのレベルで嫌っているな」とわかれば、その人の言説は「ネット嫌い」という土台に乗った理論、という見方がひとつできるわけです。

ネットがいいか悪いかを客観的に述べているのではなく、「嫌いなネットを批判する」というスタンスから理論づけがなされているという可能性が高いわけです。

もちろん、実際にはもう少し複雑な見方をしないと、その人が考えている理論の本質は見えてこない場合もあるのですが、ここではあくまで「AB方式」、あるいは「好き嫌い方式」の基本原則として、このやり方を知っていただければと思います。

こうして「好き嫌い」が理論の根っこにあることがわかってくれば、論理的な文章を書いているように見える人でも、実は好き嫌いで書いているだけだったという事実が、文章や発言から透けて見えるときがあるということなのです。

難しい専門用語やデータをくっつけて論理的風な説明をしてもらっても、結局は好き嫌いを理由に全否定しているだけで、その理論もデータも辻褄合わせの後づけ、というようなことも多々あるということです。

たとえば、国の政策について是非を問うような討論番組を見るとき、気をつけるべきなのは発言者それぞれの「立場性」です。政治的に中立な学者が客観データを基にして是々非々で論じているのか。あるいは現政権に批判的で、「とにかく政権を潰したい」という評論家が、否定材料ばかりを集めて論じているのか。逆に当該の政権を熱狂的に支持している保守派の言論人が、肯定材料だけで論じているのか。同じような「理論」に見えても、「好き嫌い」の違いで、話の中身は180度変わってきます。

論理的と見られていることの裏には、常に「好き嫌い」の要素があるということ。そして、その視点でものごとを見ていく習慣を身につけることが、本質を見極めるうえで何よりも重要です。感情（立場）と論理の関係性は常に意識する必要があるということなのです。

エビデンスを疑ってみる習慣

このように、「論理」や「客観」については、無条件に信じるのではなく、実は疑ってみなければならない部分もあるのです。

論理性を担保する根拠となるものが、先ほどから何度も挙がっているエビデンス（証拠）です。論理とエビデンスの2つは切っても切れない関係性にあると言えます。

理論を展開するなら、それを支えるデータを添える癖をつけるのは大事なことです。企画書であるなら、ちょっとした表やグラフを入れて説明してみる習慣をつけると、相手にとってもよりわかりやすくなります。

ところが、一方でこうしたデータには、信用性が高いものと低いもの、その中間のものなどがあり、ソースが不確かな真偽不明のものまで含めれば、世の中には実に様々なデータが溢れています。

ひとことで「この国の失業率は」と言っても、どこまでを「失業」とみなしてカウントするかは、国によっても微妙に違います（国際基準は一応ありますが）。

比較的名の知れた学者の書いた本でも、内容はそれほど信頼できないと言っていいものもあります。もちろん、データはいろいろなところから集めて添付されていますし、それに基づく理論も展開されてはいますが、先ほどの政策論争の例を出すまでもなく、「好き嫌い」の違いだけで、答えは正反対の方向へ突き進みます。

そもそもデータひとつをとってみても、バイアスのかかった係数で算出されたデータなのであれば、その上に積み重ねられた理論は信用性が低いという話にもなってきます。

「AだからB、ゆえにCですね」

という、いわゆる三段論法で証明されたと信じたはずの当該の理論構成が、実はAの根拠となるデータが意図的に歪《ゆが》められたものだったとしたら、話は変わってきます。BもCもその根拠を失うことになり、論理的だったと信じていたその説は、一気に信用性を失うことになるわけです。

エビデンスを疑ってみるという習慣をつけることは、論理を語るうえでとても重要なことです。特定の情報に固執することなく、複数のソースを読み比べながら、自分に必要なものを選択する力が求められます。

おもしろそうな本を見つけた場合、その本が本当に信頼できるのか、そうでないのかを知るには、たとえばａｍａｚｏｎのようなＥＣサイトでユーザーレビューを覗《のぞ》いてみて、できれば批判的な意見も含めて比較してみるほうがいいでしょう。

もちろん、ネットのレビューは信頼性の担保が希薄ですから絶対ではありません。しかし、少なくともハズレが少なくなる確率が高まることは確かでしょう。

ネガティブなコメントの中には、最初から批判ありきで書き込まれている悪意のあるものも多数ありますが、中には感情的に叩いているのではなく、それなりの論理を背景に批判コメが書かれていることもあります。

実際、わたしもネットで本を購入する際は、レビューを情報源の1つとして参考にすることもあります。結局はその判断の基準も、その人の論理性に依ると言うことができるわけです。

五章

メディアリテラシーと伝達力の絶妙な関係

「立場性」を見抜くリテラシー

ひとつだけの情報源に頼って考えが偏ってしまうということの代表例が、おそらくは新聞ではないでしょうか。メディアの関係者であれば複数の新聞に目を通す人もいるでしょうが、一般の会社員の方がそこまでするのはなかなか難しいと思います。

近年は「メディアリテラシー」という言葉がよく言われています。つまりはマスメディアがわたしたちに伝える価値観を鵜呑《うの》みにせず、主体的に解読する力の必要性が問われているわけですが、それらは常に比較で成り立っています。A紙がこう書いているけれど、B紙はどうか、あるいはC紙はどうかということです。

メディアの発信する情報が確かであるかどうかは、記事を発信する会社の立場によるというのは常識で、朝日新聞が出す記事と、読売新聞が出す記事の内容が大きく違うのは、お互いの立場が違うからです。

わたしは、原則として4紙ぐらいに目を通すようにしていますが、同じ日の国会審議について書かれた記事について、「ここまで見出しが違ってしまっていいのか」と思うことが現実によくあるのです。

こうなると、たとえエビデンスがあったとしても、論理の方向性と結論がまったく逆になり、結果的に印象操作が行われるという可能性もあるわけです。

その意味では、メディアリテラシーを鍛えることが、論理的にものを考えることになり、ひいては説明力をアップすることにつながるということなのでしょう。

誰かの話を聞くときでも、どこかの企業の主張を聞くときでも、「立場性」に着眼するの極めて重要です。

「この人は〇〇大学の出身だからこう言っているんだな」

「この企業は中東でビジネスを展開しているからこう主張しているんだな」

というように、言葉の裏の「立場性」を見るだけで本質の見え方は変わり、それがメディアリテラシーにもつながります。

これが習慣化すると、今まで何気なく聞いていた職場の上司が言うことも、「なるほど、この立場だからあんなこと言ってるんだろうな」とか、「あの企画が通ったらこちらのほうへ変わるのかな」という流れが見えてきます。

つまり、論理というのは常に公平で客観的なように思えますが、実はどの立場に立つかによって意味が180度変わってしまうということ、いわば「両刃《もろは》の剣《つるぎ》」だということです。

切れ味の鋭い刀でも、誰が何のために戦うかで使い方はまったく変わってきます。論理の底にある「立場性」を見極めていく練習こそが、論理そのものを磨いていくということになるのです。

「従って〜そうならない」

論理というものを疑ってチェックしていくうえで、もうひとつ気をつけなければならないのが、論理の「飛躍」です。わたしたちは、この飛躍を見つけたら、常に心の中で「いやいや、そうはならないでしょう」という〝ツッコミ〟を入れていく心構えが必要です。

話がAからB、さらにCへと展開していくなかで、「A、Bまでは理解できるけれど、Cについては話が飛びすぎでしょう」ということが、論理の中にはしばしばあるのです。

「従って〇〇である」

と言われたときに、

「いや、従ってそうはならないだろう」

「こうなるとは必ずしも限らないよね」

という心の中でのツッコミを練習していくと、結果として論理にも強くなっていきます。

他人に騙されやすい人というのは、ひとつには論理に騙されやすいという心理的な背景があります。「こうなると、ああなりますよね。従ってこういうふうに儲かるわけです」と言われると、その論理に流されてすぐ納得してしまう人がいるわけです。

しかし、そこで「ちょっと待って。そこ『従って』じゃないですよね。BとCの間にはかなりの飛躍があるよね」という形での会話の切り取りが必要になってきます。

大手予備校の合格実績が数千人と聞いたときに、「すごく多いね！」と驚くのはかまわないのですが、よくよく計算したら進学実績が全校生徒の数を数百人も上回っているということもあります。

3千人しか生徒がいないのに、合格実績が3300人だったら、落ちた人のマイナスの数も考えると、どう考えても数百人は多すぎるということになります。となると、おそらく一部の優秀な生徒たちが早稲田や慶應、上智などを受けまくり、たくさん受かったという「延べ人数」ではないかという「本質」が見えてきます。

もちろん、それはそれで優秀な予備校なのかもしれませんし、実績も「嘘」とは言えないのかもしれませんが、少なくとも発表された数字の持つ意味を、そのまま鵜呑みにできないということは知っておくべきです。

交通事故が痛ましいという話をしているときに、

「事故は悲惨だよね」「うんうん」「事故死も増えているしね」「そうだね」

と流されがちです。しかし、そこで

「ちょっと待って。事故はたしかに悲惨だけど、死亡事故そのものは減っているよね」

「ほら、ピークより数千人も減っているよ」

というツッコミが必要なわけです。今はネット社会ですから、スマホで検索すればそのあたりのデータは瞬時に見つけられます。

さらに、もっと調べていくと、今度は数え方によって事故死の数も変わってくるという事実が見えてきます。事故から何日後に亡くなるかによって、「事故死」とカウントするかどうかが変わってくるわけです。そういう視点でさらに調べていくと、今度は統計データの裏側も見えてくるのです。

論理を強化するために必ずデータをセットする習慣は必要ですが、一方で、データに引きずられないようにする心構えも必要だということです。

これは、先ほどの「エビデンスを疑う」ということにもつながります。論理における飛躍とは、実は「まやかし」なのです。まやかしに気をつける癖がつくと、結果的に、自分自身の論理の飛躍にも注意を払う習慣がつくようになります。

論理に潜む飛躍の可能性を常に意識しながら、自身の論理を強化する方向を目指してほしいと思います。

論理を考えるうえで、あまり指摘されていないことに、「コスト意識」というものがあります。ここで言うコストとは、必ずしもお金のことだけではなく、人的コスト（労力）も大きな要素として含まれています。

たとえば、ある企画を考え、自分なりに論理を立ててフォーマットに落とし込むまではいいのですが、その先には現実に即したシミュレーションが求められます。

企画が実行されたら実際にどうなるのか、現実的にどれだけのコスト（人件費、原材料費、時間、労力、健康リスク等）がかかるのか、シミュレーションを通して問題をあきらかにしておく必要があります。

学園祭でせっかくおもしろそうなイベントを企画しても、積算したら準備に100人ものスタッフが必要で、安全性にも問題があるということが見えてきたら、実現は難しいということになるでしょう。

実際、人的コストは大きな問題で、ニュースなどで耳にする国の諮問委員会などを見てもそれをよく感じます。なにか問題が起きると「では諮問会議でも開きましょうか」と簡単に言う人がいるわけです。

その結果どうなるかというと、よくわからない委員会がそこらじゅうにできて、みんなが会議に忙殺されてしまうというおかしな事態になります。

委員会の規模が大きいほど会議の数が増えるというのも困ったもので、会議のための会議に全員が振り回され、「忙しい、忙しい」とボヤきながら1日が潰されます。労力ばかりかけて何が生まれたかというと、コストに見合う成果は出せていないのです。つまり、そのプロジェクトは人的コストが大変な無駄に終わったということになるわけです。工夫さえすれば、人的コストはかなりの部分を省くことができるのです。

そもそも、わたし自身が「会議体」そのものに慎重な人間でして、これまでも委員会などへの参加を求められたときには、たいていは「恒常的な会議は必要ないんじゃないでしょうか。メールで回して、その都度検討すれば済むと思いますが」と返答してきました（残念ながらそれで納得してもらえたことはほとんどありませんでしたが）。

ひとりの人間のスケジュールを押えて拘束するというのは、実は大変で大きな責任を伴うことでもあります。傍目からはお金のかかっていないように見える会議体にも、10人が集まれば10人の専門家の人的コストがかかるということです。その意味の大きさを、わたしたちは知っておかなければなりません。人間に係るコストというのはそれほど大きいのです。

どんなプロジェクトでも人的コストを無視すれば、その人の唱える論理は破たんします。逆に言えば、人的コストの概念を常に会話の中に織り込みながら提案する癖がついていると、「この人は論理構成がしっかりした人だ」「人的コストの意味を理解している」という評価につながるはずです。

発想力とコスト意識は常にセットにしておくと、アイデアの論理構成は強固になり、より現実的なものとなるでしょう。

ボケとツッコミ

意外と知られていないことですが、論理の構築を考えるとき、実は「攻め」と「守り」この両方の要素が必要となります。本田技研工業は創業者の本田宗一郎さんと、名参謀と言われた藤沢武夫さんとのタッグによって、世界に通用する企業へ成長したと言われています。

本田さんは、『得手に帆あげて―本田宗一郎の人生哲学』（新装版・2000年／三笠書房）という著書にも書かれていますが、得意な分野に帆を揚げて進んでいこう、得手なものをどんどん伸ばして突き進んでいこうという考えの持ち主でした。

1964年にはF1にも参戦し、翌年にはメキシコで初優勝を飾っています。「レースは走る実験室」という、氏が残した言葉はあまりに有名です。

一方、こうした壮大なビジョンを実現するには、現実にどういうリスクがあり、どのくらいのコストが係るかを精査する作業も必要になります。

ホンダという企業でその重責を担ったのが藤沢さんでした。結果、それがあの時代の日本で大変うまくいったということです。

漫才師のボケとツッコミではありませんが、ひとりがボケたら必ずもうひとりが突っ込んでくれると、全体のバランスはとれるものです。

わたしは爆笑問題のおふたりが好きなのですが、立川談志さんは生前、太田さんの才能を高く評価しながら、「（相方の）田中とは絶対別れるな」とアドバイスしたそうです。田中さんが太田さんに現実感覚で突っ込むことで、絶妙なバランスが保てていることを、談志さんが理解されていたからでしょう。

聴衆が太田さんに対して「言いすぎだ」と感じるギリギリのところで田中さんが突っ込むと、聞いている側は心のバランスがとれ、そこで楽しく笑えるということになります。

太田さんだけでは尖りすぎでも、田中さんとセットになることで全体が常識的な枠に収まるわけです。論理を高めるうえでも、この「攻め」と「守り」がとても大切になってくるのです。

とはいえ、わたしたちが実際に相方となる人を探すのは現実的ではありませんから、この「攻めの自分」と「守りの自分」を頭の中で想起して、そのうえでプレゼンなりをしていくとうまくいくことが多いのです。

「攻め（突っ込み）」と「守り（ボケ）」のどちらをも意識しながら、2方向からの概念で話すというイメージです。このやり方に慣れてくると、その人の話し方は常に抑制が効いたバランスのとれたものになってきます。

「これはこうすべきです！　絶対にうまくいきます！」と押しまくるのではなく、

「こういう流れが期待できますが、一方で懸案事項はこれでして」

「基本はこれですが、想定されるリスクとしてはこれもあります」

というように〝正直〟な言い方をすると、懐疑的な見方をしていた人も「この人は自分に都合のいい情報ばかりを出してくる人ではない」と理解し、素直に聞く心の準備をしてくれるでしょう。

つまりは、自分が自分に対して抑制をかけながら話しの内容に均衡を保つという技が必要だということです。

自然科学の分野では、自分の仮説を立証する際に、その仮説を肯定するようなエビデンスばかりをかき集めてくる人は、学者としての評価がいまいち得られないという話を聞きます。

むしろ、自分の主張を潰すようなデータを探してきたうえで、それでも耐えられる仮説であるなら、説はより信用性が高まるでしょう。あえてマイナス材料を用い、それを潰すことで結果として自説を強固にしていくわけです。

哲学者のカール・ポパーは、科学哲学において「反証可能性」という理論を唱えました。簡単に言えば、「実験で確かめることができない仮説があるとするなら、それは科学とは言えない」という考え方です。

反証（反対するデータ）を探しまくって、「どうやっても大丈夫」となったときに、初めて仮説として出せるのです。自説に有利なデータだけをいくらたくさん持ってきても、不利なデータをひとつ突きつけられ、それに反論できなければ、説の立証は不可能です。

日本人として初めてノーベル賞を受賞した物理学者の湯川秀樹博士は、『旅人』（改版・2011年／角川文庫）という自伝の中で、毎晩仮説を立てて、それを翌朝に研究室でデータと照らし合わせ、自分の仮説を自分で潰すという作業を繰り返したと言っています。自分の説を自分で疑い、そのためのデータを大量に集めるというのは、根気はもちろんのこと、相当な勇気と覚悟も求められるでしょう。

いずれにせよ、こうしたプラスとマイナスの突き合わせという作業そのものが極めて論理的であるということです。企画をプレゼンするときにも、

「こういう懸念がありますが、こちらの（否定的な）データと突き合わせてみても、大きな問題はなさそうです」

「念のためこれだけ厳しい国際基準のデータをぶつけてみましたが、それでも安全性が確認されています」

と言う伝え方をすると、話の中身が論理的になり、信頼性も高まります。

スマホですぐ調べる

今の時代は、ネットで検索をすればたいがいの情報を見つけられます。この「すぐにその場で調べる」を可能にしたのが、皆さんがお持ちのスマートフォンです。

一方で、常々感じているのが、せっかくのスマホが十分に活用されていないのではないかということです。

実際、話をしている最中に「あれってなんだっけ」と疑問が出て会話が止まっても、その場で調べて、答えを見つける習慣が身についている人は、案外少ないのではないでしょうか。

多くの人は「さぁ、なんだっけ」と曖昧にしたまま、なんとなく会話を流してしまいます。横で見ていると「今調べればわかるのに！」とじれったく思うのですが、さすがに知らない人に声をかけるわけにはいきません。

当然ながら、お互いがわからないままで放置していては、流れたように見える会話も、実際はそこで止まったままです。その場で調べれば話は先に進みますし、正確なデータがエビデンスとして加わることで、会話の論理性が急に高まります。

このように、スマホこそが日常の雑談を論理的にできる最適な道具なのですが、そのせっかくの現代の〝神器〟の持つ意味を理解していない人が多いのです。

世界中の膨大な量のデータがほぼすべて無料で、常に手元に託されているのが当然という状況は、人類の長い歴史の中でも初めてのことなのです。それを活用しないというのは、もったいない話です。

たとえば、3人くらいで何かのテーマを話している場合、「こうであるはずだ！」と自論を唱えている人は、想いを語るのに精いっぱいです。そこで、誰かが隣で「ちょっと待って」とデータを引っぱってきて、その説を証拠で補完してくれれば、〝助手〟としてこれほど頼りになることはありません。

「こんな商品が売れると思うんだよ」と熱く語る人の横で、サッと検索して
「こういう似たような商品が先行して市場にあるね」

と伝えてあげて、さらに
「売れ行きもあまり伸びてないようだ」「ECサイトのレビューも芳しくないね」

と情報を提示してあげれば、その発想は実現が低いことがその場でわかります。結果、そこで交わされた会話は「実に論理的だった」ということになるわけです。

おそらく、ほとんどの人がスマホをSNSのための便利な道具だと思っていて、せいぜい使ってもヤフーニュースの閲覧、食べログのチェックやゲームくらいではないでしょうか。それでは本来の機能を十分に果たせているとは言えません。

持ち慣れてしまって麻痺しているのかもしれませんが、もっと本気でスマホを生活に取り入れ、仕事にも活用してみてください。

わたしは大学の授業でも学生にどんどん使ってもらっています。「これはどうですか」というこちらの質問に、わからないという顔をされたなら、「じゃ、みんな今スマホで調べてみてよ」とその場で正解を見つけてもらいます。答えが出れば次のプランへつながりますので、授業はスムーズに流れていくわけです。実に建設的です。

たとえば、「日本の海上防衛力って欧米と比較してどうなんだろう」という議論になったとします。極論すれば、「日本の海上自衛隊が戦争して欧米を相手に暴れたら勝てるのか」ということなのですが、それについて

「鉄の生産量というのがその国の工業力の指標になるね」

という点に気づき、そのうえで年間の粗鋼生産量を検索してみたら、トップは中国で、日本は世界で3位くらいということがわかってきます。

ところが、実際には欧州は一体化されていますので、ＥＵ全体の量としては日本を凌駕《りょうが》していること、さらにはインドの粗鋼生産量が日本の１・５倍以上もあり、総合的な軍事力ランキングも日本より上であることなどが、調べていくうちにわかってきます。

このように、昔であれば図書館へ足を運んで、新聞や文献を探してこなければ見つからなかった情報が、手元のスマホでいとも簡単に手に入り、大学の授業や日常の会話が充実したものとなるのです。

情報に積極的に触れる癖をつけて知識量を日々増やし、論理力の向上に役立ててほしいと思います。

検索ワードは論理的に

スマホやタブレットを武器にして、より効率的に情報を集めるためには、できるだけ「検索上手」になる必要があります。

実際、キーワードを打ち込んでも、なかなか確信的な答えに辿りつけない人もいれば、瞬時に見つけてしまう人もいます。

大学の授業でも、学生に「今からこれを30秒で検索して」と言うと、1分、2分とかかる人もいれば、10秒くらいで「ありました」と見つける人もいます。

そこにはすでに大きな差があるのです。早く見つけた学生に、どうやって早くたどり着いたかを発表してもらうと、そこには合理性があるわけです。つまり、検索キーワードの打ち込み方が論理と密接に結びついているということです。

うろ覚えのモノを探し出すのに、ピントのずれたワードを打ち込んでもなかなか出てきません。たとえば、1年前に友人と行った山の名前を思い出せないときに、ただ「山」と打ち込んでも、答えが出てくるはずがありません。日本の国土の約7割は山地なのです。

「たしか近くに火山の跡があったな」

「ロープウェイもあった」

「売店のおでんが名物だった」

などのキーワードを思い出したら、それらのキーワードに加えて県名でも打ち込めば、おそらく正解はすぐに出てくるでしょう。肝となるワードを的確に見つけ出すには、論理性が必要であるということを普段から意識しておきましょう。

〝検索ごっこ〟で数字と仲良く

スマホの有効活用という意味では、次のような「検索ごっこ」を日ごろからゲーム感覚でやる癖をつけてもいいと思います。

電車の中などで手持ち無沙汰になったときに、たとえば「昭和30年、男性、独身、比率」と入れて検索すると、昭和35年の男性の未婚率が1・26％しかなかったことがわかります。昭和55年でもまだ2・6％でした（厚生省国立社会保障・人口問題研究所「人口統計資料集」より)。

一方、最近はどうかというと、2017年に発表された国勢調査(2015年ベース)によれば、男性の生涯未婚率は、なんと23・37%だそうです。昭和35年の約19倍、55年と比べても約9倍。今のほうが未婚率ははるかに多いのです(※)。

しかし、考えてみたら、昭和30年代といえば、男尊女卑の傾向が今より強かった時代ですし、いわゆる「飲む、打つ」タイプの、家庭をかえりみないお父さんも、今よりずっと多かったはずです。

それと比べて、今の時代はフェミニストの優しい男性も多く、こう言ってはなんですが、見た目だって背も高くておしゃれな現代の若者のほうが、ずっとかっこいいはずです。

それでは、なぜ結婚の率がこれだけ違うのか。もちろん、結婚に対する価値観や国内景気など、様々な要因は考えられるとして、ひとつには今の時代のように、女性が男性に経済的に頼らずに、独身でバリバリ働くという生き方が、必ずしも許容されていなかったという社会背景があるわけです。

当時の女性は、今より何倍も男性に依存しなければ、いろいろな面で生きていくのが困難だった——そのような時代背景が、スマホの向こうから透けて見えてくるのです。

※前ページからの未婚率の調査は2017年6月時点のものです。

このように、日ごろから遊び感覚で検索しながら、ものごとを調べる癖をつけていると、情報が別の情報へと広がりながら知識や教養が自然と高まります。また、検索する行為そのものが脳の使い方をクリエイティブな方向へ導いてくれるでしょう。

検索ごっこの癖をつけることのもうひとつの利点は、数字との距離感が縮まってくるということです。

論理性を高めるにはエビデンスが必要なわけですが、それには、会話の中でも

「3割の男性が該当するようだね」

「25％の若者、つまり4人に1人が……」

というように、数字を添えた話し方を習慣づけることが必要になってきます。

「そういう男性ってめっちゃ多いよね」

と言っても「めっちゃ多いってどれくらい？　7割？　8割？」と聞かれて、「いや、そんなにはないと思うけど、うーん」と詰まったら、その時点で論理的ではありません。

「いや、3割だけど10年前は1割未満だったから、それと比べたら3倍だよ」

と答えれば、「なるほど、それは多い」「論理的だね」となるわけです。

先ほどの未婚率で言えば、昭和30年代は「とにかくめっちゃ少なかった」「今はヤバいくらい多い」と言うだけでは、まったく伝わりません。

「今は23％くらいだから、昭和35年の20倍近くあるよ」

と言うことで、初めて論理的な説明となるのです。このように、普段からデータを調べる癖をつけていると、数字との距離感がどんどん近くなり、ものごとを数字と合わせて理解できるようになります。

現実にこれができていたのが、「コンピューター付きブルドーザー」と呼ばれた田中角栄です。彼はいつも官僚に「数字を出せ」「話の中に必ず数字を入れろ」と口すっぱく言いながら、常に自説と数字をセットで記憶し、論理性を固めていたといいます。

年号の記憶をなめるな

数字の重要性という意味では、年号を意識して覚えておくのも大事なことです。

たとえば、ある歴史的な事件について考察するときに、それが何年に起きて、そのとき世界では何が起きていて、その2つがどうリンクしていたかを知ることによって、ここで言う「歴史的事件」を本当の意味で理解できたということになります。

「暗記主義は好ましくない」、「創造的な思考力が大事」と主張する人も多いのですが、むしろ記憶をあまりに軽視するのはある意味危険です。ある程度の記憶量は持っていないと、ものごとを総合的に理解することができないとわたしは思っています。

以前、「ミスター円」の異名で知られ、元大蔵官僚で経済学者の榊原英資さんとお話しした際に、「年号を覚えるのって大事ですよね」とわたしが話したところ、榊原さんも「そう、絶対に年号は大事」と強く同意してくださり、さらに「自分は寝る前に必ず松岡正剛さんの『情報の歴史』（NTT出版「最新版・2021年／編集工学研究所」）に目を通して、年号を覚えて寝ることにしている」とおっしゃっていました。

この『情報の歴史』という本は、日本文化研究の第一人者である松岡正剛さんが編集された大作のひとつで、地球上でリボ核酸が誕生し、象形文字が生まれてから、近年のＡＩ（人工知能）の時代にいたるまでの５０００万年を一冊にまとめた、情報文化史大年表ともいうべき大作なのですが、御年70を超えた榊原さんがそれを毎晩読み、年号を覚えているというのです。

これを聞いたときは、榊原さんの教養の高さに感服したと同時に、論理性を担保するにはやはり年号を記憶することが重要だと再認識できたわけです。

常に年号が頭に入っているという人は、第三者から見たらそれだけでもう論理的です。年号や数字は、決して大雑把に捉えてはいけないということです。

田中角栄と数字の話が先ほど出ましたが、彼の強さは、温かみのある言葉と、味のある表現で相手の感情を揺さぶりつつ、実はしっかりとした数字の裏づけも添えられており、話の中身が論理的で説得力があったという点です。

彼は1960年代に3年近く大蔵大臣を務めましたが、おそらく日本でもっとも数字が得意である大蔵省の官僚たちをいい意味でフルに活用した大臣でした。

そもそも、官僚というのは数字が得意でも大きなビジョンを直観で語るのが苦手であったりするものです。

つまり、これをひとりでできれば一番理想的だということです。皆さんも自分が大臣になったつもりで、あたかも官僚にデータを調べさせるようにスマホを駆使し、自身のビジョンや企画を、年号や数字とリンクさせる形で思考する癖をつけてください。数字を120%の域で活用できることが論理性を高めることにつながるのです。

実際、田中蔵相の時代であれば、官僚だけしか見られなかったようなデータに今は簡単にアクセスできます。そんな奇跡的とも言える時代にわたしたちは生きています。ワードを2つ、3つ打ち込んで検索すれば、たいていの情報は引き出せるわけですから、もう少しスマホを使いこなしてもいいのではないでしょうか。

世界のデータベースにつながっているデバイスをあたりまえに所持できていることのありがたさと、そのスマホというものが論理を固めるうえでどれだけ役立つかを、今一度考えてみてはいかがでしょうか。

所ジョージさんの説明力

普段、わたしがテレビなどでお仕事をしていると、ご一緒している人に対して「この人は論理的だな」とか、「さすが、ちょっと他と違うな」と感じることがあります。

たとえば所ジョージさんは、いわゆる「話の回し方」が大変お上手な方です。『所さんのニッポンの出番！』（2014～2016年放送／TBS系）などで何年かご一緒しましたが、所さんは話の脈絡というものを大事にされる方でした。突発的なことが起こったり、誰かがイレギュラーな発言をして議論が本筋からズレてしまったりしても、自然に軌道修正をして話をもとに戻すことができるのです。

ゲストの視点がややズレてしまっているような場合でも、その人が話していることをうまく拾ってフォローし、進行している論理の筋道に巧みに乗っけてあげるわけです。

さらに、その場にいる全員に対し、話を均等に振るのもお上手で、場の温め方にも長けています。人をまとめたり、話をまとめたりする論理的な整理能力を備えているにもかかわらず、それを絶対に周りに見せようとしません。

どちらかというと、柔らかくほんわかされているので、ノリや感覚だけで話していると思っている方も多いかもしれませんが、そうではありません。論理性とは無縁のような脱力した雰囲気で、周囲を自然と包み込んでしまうのが所さんのうまいところです。

このように、世の中には「絶対に論理力を表に出さない形の論理性」というものもあり、それを自然と身につけている人もいるのです。

所さんの番組に出ると、まるでセーフティネットのようなものに守られている感覚に包まれることがあります。空中ブランコで手を離してもネットがあるから安心ができるというような、思い切ったことも言えるような気分にさせられます。

共演者たちが皆そういうメンタルになれば、会話はいつもより弾みますし、結果として番組の中身もよくなるわけです。それができるのが所さんのMC力であり、それこそが所さんの論理性ということなのです。

所さんと共演したある日の番組で、「酒の肴（さかな）」の語源についての話題になりました。「肴」というのは、もともと酒のつまみという意味から「酒菜」（さかな）と呼ばれていたのですが、江戸以降の食文化で魚介類が多くつまみに使われるようになり、「魚」を「さかな」と呼ぶようになったと言われています。

そこで、わたしがそのように説明したところ、所さんが、「じゃあ、海で泳いでいる魚は何て呼んでたんですか」と聞くので、「ウオと呼んでいたんです」と答えました。

話がまったりした流れになってきたところ、「え、じゃあ、魚屋で見るたびに『ウオ、ウオ』って言っていたわけですか？『ウオちょうだい』みたいな？」という具合に、所さんがアクセントをつけてくれて、そこでちょっとした笑いにしてくれるわけです。

会話の流れを読みながら、適度な起伏を作ってくれるおかげで、まったりとした話の上にもうひとつネタが乗っかった形になり、笑いにもなってスタジオの空気が温かくなるということなのです。

そういった「ちょっとおもしろくするように上手に振ってくれる」という判断を、瞬時にできるという技は、誰もがあたりまえに持っているわけではありません。

一方で、MCが自分だけで長く話しても番組上はよくありませんし、自分の知識をひけらかすだけでは、視聴者にとってもおもしろみがありません。

やはり、共演者とのやりとりのなかで、ポイントを引き出してくれる力というものを、所さんは持っています。

実際、所さんは非常に豊富な知識を持ち合わせている人で、しかも単なる雑学ではなく、広範で奥行きを感じさせる教養の持ち主です。

おそらく、専門のコメンテーターなど呼ばなくても、ご自分がお話をすれば、たいていの話題であれば、番組として成立してしまうでしょう。

しかし、それを自分からはひけらかさず、あえて共演者や専門家の人に話を振り、CMに入ってみたら、なんてことはない、全部ご自身が知っていたことであったりするわけです。「なんだ、所さん知ってたのか」というようなことが実に多いのです。

「能ある鷹は爪を隠す」といいますが、結局はそれが共演している人の魅力を際立たせ、話を盛り上げ、番組をおもしろくするということを、所さんが誰よりも知っているからでしょう。そして、そのことを制作スタッフも熟知しているからこそ、所さんが芸能界という厳しい世界で長い間活躍し続けているのだと思います。

有吉弘行さんの共同主観性

有吉弘行《ひろいき》さんといえばもっとも人気のある芸能人のおひとりです。わたしも『有吉反省会』（２０１３〜２０２１年／日本テレビ系）という番組に呼んでいただいたり、他の番組でもご一緒する機会があるのですが、とにかく場の空気を瞬時に理解して、本質を突く能力に長けた方だという印象を持っています。

有吉さんといえばご承知のとおり、持ち前の毒舌を武器にした「あだ名付け」をきっかけに再ブレイクを果たしたことで有名ですが、この「あだ名付け」という行為自体が、実は前に触れた「外科医的」な行為、つまり全体を瞬時に捉え、本質的な問題をシステムシンキングでズバリと切り取る能力が高いということなのです。

「おしゃべりクソ野郎」とか、「ブス界一の美女」、あるいは「元気の押し売り」というようなあだ名のおもしろさというのは、言葉そのものが持つユニークさはもちろんですが、実は世の中の多くの人も心の中で薄々感じながら、はっきりと自覚していなかったイメージを、ひとことに凝縮して場に放り込んでくれる点にあります。

これは、有吉さんの中の「共同主観性」という部分が人より優れているからと考えていいのではないでしょうか。

共同主観性（間主観性）とは、哲学者で数学者でもあったエルムント・フッサールが提唱した概念です。主観というのは一人ひとり、個人ごとにありますから、100人いれば100人分の主観があるわけですが、その100人全体が、

「みんながこういうふうに見ているよね」

「だいたいこう思われているよね」

という、共同体として共有している緩やかな主観性というのがあるのです（**図J**）。

「自分だけでなくあなたたちも思っているでしょう」というあやふやな意識の正体を、言葉でタグ付けして取り出してあげて、皆が理解できるように、

「思っていたことって、実はこれでしょ！」

図J　共同主観性の概念図

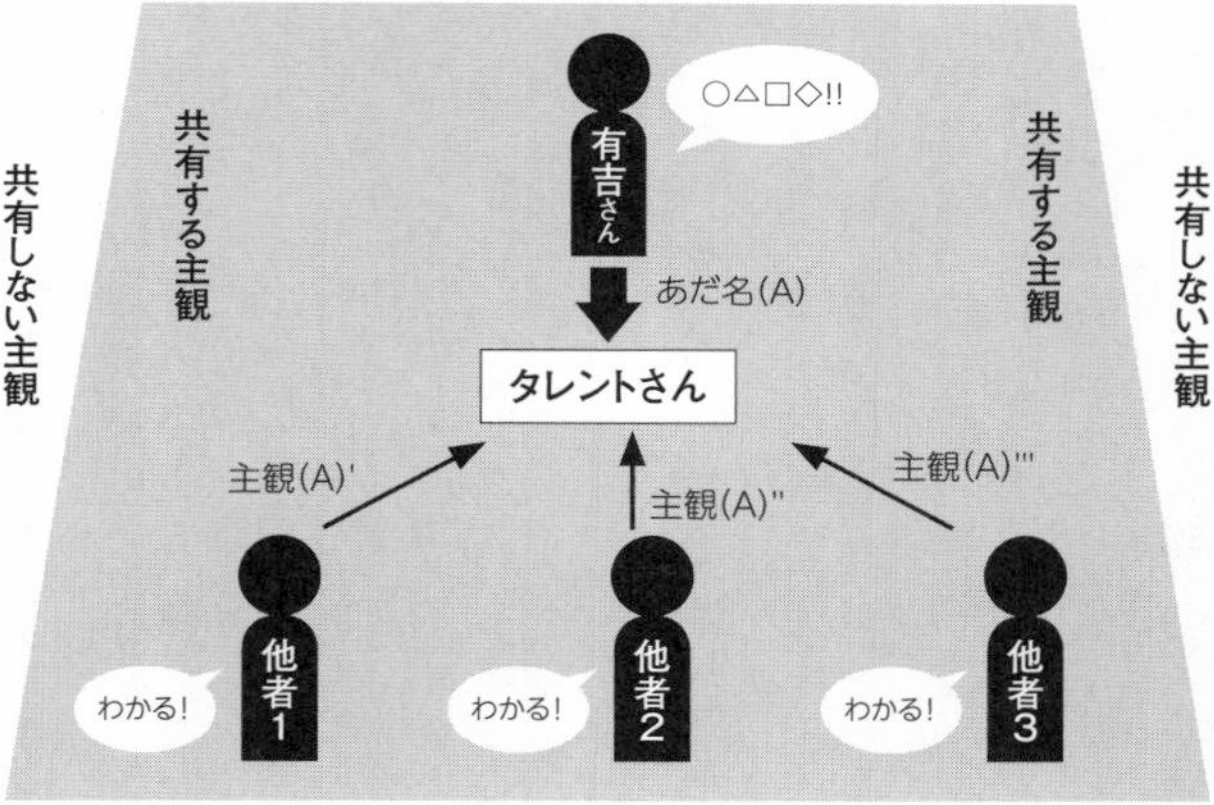

と、提示してあげるわけです。提示された側は図星をつかれてその言葉が心に刺さり、「たしかに！」「それそれ！」「自分でもはっきりとは気づいていなかったけど、たしかにそんなイメージが意識の中にあった気がするよ」と共感を覚え、心の底から合点するわけです。

ちなみに、世の中にある書籍のタイトルも、まさにこの共同主観性が鍵になっており、みんなが心の中で抱えている興味や関心、疑問、不安の中心部に突き刺さるような言葉がつくことで、その本が爆発的に売れる可能性が出てくるということです。

『さおだけ屋はなぜ潰れないのか？』（山田真哉著／２００５年／光文社新書）という本

がベストセラーになったことがありましたが、あれなども、おそらく日本人の相当数が、同じような共同主観を心の中で抱えていたところ、本のタイトルとして見事にその核心を突かれたため、思わず買ってしまったという面はあると思います。出版社の社員が本を作る際、タイトル会議に命を懸けて侃々諤々《かんかんがくがく》やり合うのもそのためです。

このように、問題全体の中で本質を見つけ、共同主観性をつかまえる〝外科医的〟な感覚に長けた人は実際いるわけで、そのひとりが有吉さんということになるわけです。

マツコ・デラックスさんの本質直観力

このように、みんなが思っている「もやっとしたもの」をピンポイントで突いて、周囲の人の心理をすっきりとさせることが上手な人というのは、基本的には本質直観力に長けている人です。これも哲学者のフッサールが、現象学という考え方の中で説いた概念なのですが、論理性と言うより、どちらかと言えば優れた感覚によるところが多いようです。本質を突いて自分だけで完結するのではなく、他の人が思っているであろう意識を突き、それを空気としてつないでいくという力です。

そういう意味では、マツコ・デラックスさんも本質直観力に長けていて、みんなの意識をつないでいくことが非常に上手な方ではないでしょうか。

テレビを観ている視聴者が、なんとなく思っているようなおもしろさや、滑稽さ、不可思議さ、苛立《いらだ》ち、懸念などを、的確な表現で言い当て、それにより観ている側は「あるある！」と共感して大笑いし、気づくとすっきりできてしまう。そういう力がマツコさんにはあると思います。特に、マツコさんの場合は、大多数の人が置かれている立場からの視点と、少し違った角度からものを言えるという強みがあります。男女という性別の違いがあるとするなら、マツコさんは第3の立場からもズバズバと言えます。

これまで歩んできた道が、もしかしたら構造的には手放しの幸福ではなかったというスタンスから、独自の発言をしていくという意味があるように思います。

世の中の「中心」というよりは、「周縁」もしくは「境界」といった位置を「マージナル」という言い方をしますが、マツコさんのように、どちらかというと社会の中でマージナルな位置に身を置いてきた人の視点や価値観というのは、テレビを観ている一般的な視聴者のそれといい意味で差異があり、その違いがマツコさんの個性を際立たせているのでしょう。

実際、マージナルな所から中心部を見たほうが、ものごとを客観的かつ冷静に見られる面もあるわけですから、批評界ではそちらのやり方のほうがメジャーになれるという側面もあります。ど真ん中の価値観に首までつかっている人よりは、中心から離れてマージナルなポジショニングにいる人のほうが、俯瞰して批評ができる有利なポジションにいるとも言えるのです。このように、本質直観力に優れ、共同主観性に富んだマツコさんと有吉さんというおふた方が組んだ番組というのは、論理性という面からもおもしろさが説明できるということなのです。

毒舌は劇薬

毒舌というものを行使するうえで重要なのは、「現実との距離感」を決して無視してはいけないということです。有吉さんもマツコさんも、毒舌で人を笑わすことが非常に得意なわけですが、これは現実をしっかりと見ている人だけができる業です。

「ここまでは大丈夫」「ここからはちょっと危ない」「ここを超えたら完全にアウト」というラインを皮膚感覚で理解しているわけで、言い換えれば、頭の中の自分の考えと現実との距離感を、常に測定しながら発言をしているということでもあります。

MCの上手な人は、例外なくこの距離感を持っています。一方で距離感を感じるのが苦手な人は、突っ走るようなトークが得意でありながら、MCをやってみるとうまくいかない……ということもあるわけです。

こうした論理の構図を考えたこともないという人が、毒舌芸人さんの表面だけを真似てしまうと、大変な失敗をすることになります。

披露宴のスピーチなどで、ウケを狙って毒を放り込んだら、参列者からドン引きされたというような話をたまに聞きますが、これは「現実との距離感」を理解できていないからです。毒舌は非常に高度なスキルが必要で、会話における言わば劇薬です。プロがやっているのをテレビで観て楽しんでいるほうが無難でしょう。

SNSで炎上するのも多くはこのタイプです。よく「炎上商法」という言い方をしますが、芸能人でもない限り、一般の方がSNSで炎上して得られるものはほとんど無いのではないでしょうか。

テレビ的な毒舌は、特別な会話の能力があるからこそできるのであり、難しいことを難なくできるからこそ、彼らは高い報酬を得ているわけです。他の人がやろうとしてもできないことをしているからです。従って、毒舌に関しては「技を学ぶ」というよりは「毒舌はしない」と決めてしまうほうがいいのではないかと思います。

毒舌や辛口で場を回せる人に共通することは、現実との距離を推し量りながら、全体をまとめる「最大公約数」的な仕事もしつつ、空気が沈滞化しないように「ここだ！」というポイントでキラーワードを放り込む。しかもそれが、爆弾を踏まないギリギリのラインであるというのが原則です。一般の人がそれをするのはほとんど無理だと理解しつつ、そこに論理的な裏付けがあるということは知っておいてほしいと思います。

ビートたけしさんの〝地雷感覚〟

「ここまでは大丈夫」という限界線をわかったうえで、ギリギリの発言で笑いをとる元祖と言えば、やはりビートたけしさんではないでしょうか。

たけしさんと言うと、好き勝手にものを言って地雷を踏みまくっているという印象を持つ方もいるかと思いますが、横に座って一緒にお仕事をしていると、実はこの地雷に気づく感覚が非常に鋭い人であることがわかります。

〝地雷感覚〟とでも言うのでしょうか、「この話題であれば地雷はこのあたりにあるな」ということをきちんと察知し、それを意識しながら話を転がしていることが多いように感じます。あるいは、

「この地雷は絶対踏んではダメ」

「この地雷なら、ちょっとは蹴ってみても大丈夫かな」

という感覚にも長けています。つまり、危険ラインについて

「線が見えている」「線の太さがよくわかっている」

ということなのです。ですから、収録の合間にＣＭに入ると、とても放送できないようなとんでもないことを言い出したりするのですが、それは

「生放送だとこう話す」「収録ではこう話す」「ＣＭ中はこう話す」「普段はこう話す」

といった種別の作業を、くっきりと線を引く形で分けているということです。

もっとも、たけしさんの場合は、「踏みそう、踏みそう」と周りに思わせながら、10回

に1回くらいは本当に地雷を踏んでしまうこともありますので、それでも「あの人なら仕方ない」と、視聴者にも共演者にもスタッフにも思わせてしまうところが、論理を超えた凄みと言えるかもしれません。

いずれにしても、毒舌の上手な人ほど地雷感覚があるという原則は、この機会に覚えておくべきでしょう。それが無い人は手を出すべきではないということです。

自由奔放なふるまいをしているのに社会で認められる人というのは、非常識なことで笑いもとれる一方で、共同的な常識もあるという場合が多いのです。

たけしさんも映画監督として有名ですし、所さんと同じように非常に博学であることも知られています。

当然ですが、社会で生きていくうえで常識というものはとても重要で、「現実感覚」をわかっているか否かというのは、その人の人生を左右する非常に大きなポイントになるということです。

六章

パワーはロジックを超える

マクロン大統領の名言とは？

フランスでエマニュエル・マクロン氏が、２０１７年、当時39歳という若さで大統領に就任しました。大統領夫人のブリジットさんは、マクロン氏が高校生だったころの学校の先生で、おふたりの年の差は24歳もあるそうです。

このため、マクロン氏の周囲は、ブリジットさんとの交際に一貫して反対の姿勢をとったと言われていますが、その後２人はめでたく結婚。マクロン氏は、大統領選の第１回投票で勝利したあとで、

「ブリジットがいなければ今の自分はなかっただろう」

と演説したと報じられています。とはいえ、ここでマクロン大統領の思想信条を分析しようというわけではありません。この「〇〇〇がなければ自分ではない」という言い回しが、「本質とは何か」を論理的にあぶり出すために、非常に有効で便利だということなのです。

「ブリジットさんがいなくなったら自分じゃなくなる」

「自分の本質的な部分がなくなる」

という意味の言葉を大統領は国民へ伝えたわけですが、この「もし～がいなければ」（without ～）という言い方は、英文法の中では仮定法と呼ばれるものです。

「もし両親がいなければ今の自分はない」

「もし仕事がなければ今の自分はない」

というふうに、「without～」のあとに任意の言葉を仮定であてはめることで、自分の本質が何かを確かめることができます。

もしwithoutのフォーマットに落とし込んで、そこでしっくりくるのなら、それがおそらく、あなた自身の本質であると考えられます。

芸人・おぎやはぎの矢作兼さんが以前、ラジオでお話しされていたことです。矢作さんは芸人になる前に、貿易会社の海外事業部に就職していたそうなのですが、入社面接の際に「英語は話せますか」と聞かれ、ハッタリで「僕から英語をとったら何も残りません」と答えたそうです。

結果、採用されたものの、入社してすぐに喋《しゃべ》れないことがバレてしまい、「てへっ」と言ってごまかしたというお話でした。

この話を初めて聞いたときは、思わず吹き出してしまったわけなのですが、それと同時に、本質を論理的に見極めるおもしろい言い回しであるとも感じたのです。

「自分から○○をとったら何も残らない」

というこの言い方も、やはり先ほどの「without〜」と基本的に同じ仮定法で、そこに何が入るかでその人の本質が浮かび上がってきます。

そこで、大学の授業でも学生たちに課題として練習してもらうことがあります。

たとえば、ある学生は「自分からＩＴをとったら何も残りません」と口に出して言ってみたところ、「本当は自分、ＩＴは苦手なんだよな」と思いながらも、

「でも、もしかしたら面接のときはこれくらいのハッタリは必要かもしれないな」と感じたといいます。

今まであまり意識したことがない、ちょっと不思議な気持ちで、あらためて「ＩＴ」を考えてみたことにより、「ＩＴ」という概念と自分との距離感が、その人の主観の中で実感されたわけです。

また、月に何冊も本を読むような読書大好き人間は、「本がなかったら自分じゃない」と口に出したあとで、

「本がなかったら今の自分になったのかな」

「あぁ、やっぱりなってないな。絶対に違う人間になっていたはずだ」

「着るものはなんでもいい、食べるものも我慢できる。でも、本は不可欠だ」

と再認識できたと言います。人生の中で本を通じて得たものが大きく、自身の本質のかなりの部分を「本」が占めていると確認できたわけです。

同じように、英語の表現でも
「NO MUSIC, NO LIFE」

という有名な言い回しがあります。ご承知のとおり、「音楽がなければ人生ではない」という意味ですが、この「NO～, NO LIFE」でも、学生に何か例文を作ってもらうことがあります。

そうすると、やはり「ミュージック」を入れる人もいれば、「乃木坂46」とか「交際中の彼女」「スマホ」「吉野家の牛丼」など、様々な言葉が飛び交うことになります。

このように、不要なものをどんどんそぎ落としていき、最後に本質に関わっているものだけを残していくという、言わば「精神面でのデトックス」のような作業が、こうした言い回しでできるということです。

自分の本質を見極める思考問題は、やってみるとけっこう楽しいばかりでなく、意外な言葉がしっくりきたりすると、今まで気づいていなかった新しい意識を、自分の中に発見できるかもしれません。ぜひ試してみてください。

〝英語構文的〟な話し方

「without～」や「NO ～，NO LIFE」といった仮定法について見てきましたので、英語に絡めたお話をもう少ししたいと思います。

「論理的に話すには英語的な話し方をする」

という考え方も実はあります。中学の英語の授業で、「関係代名詞」というのを皆さん習ったと思います。日本語では「～であるところの」などと面倒に訳されることが多いのですが、もともとの英語構文の〝関係代名詞的な話し方〟は、話の構造がわかりやすくなっています。特に長い会話や文章の場合に顕著です。たとえば、

「わたしは彼が以前に最高の店として自信満々に紹介した店に行った」

と日本語で言うところを、英語では関係代名詞を使って、

「わたしは行った＋店＋関係代名詞（that）＋彼が紹介した」

という言い回しをします。日本語が堪能な外国の方の中には、この関係代名詞的な話し方をする人がいます。英語的に思考する人が、日本語というツールを使って話すからです。

話す語順も日本語の場合、最後まで聞かないと結論が見えにくい場合が多いのに対して、英語では先にわかるケースが多くなります。

たとえば、情報番組で北朝鮮問題を論じている外国人の評論家の方が、

「金正恩は次のように言っているんですね。すなわち、アメリカは～であると」

というような言い方をしているとき、構造的には

「金正恩said＋that節＋America ～」

という文章がその人の頭にはあるはずです。一方で日本人が普通に話す場合、

①「金正恩は、アメリカが～であると言っている」

②「アメリカが～であると金正恩は言っている」

のどちらかの言い方が一般的です。日本語の場合は、最後まで聞かないと主語や述語に何が来るのかが不明で、①で言えば、主語の「金正恩」が一体何であるというのか、アメリカについて言ったのか、言わなかったのかがわかりません。

次の②にしても、「主語はアメリカかな」と思いがちですが、聞いていくうちに、「アメリカ」は目的語で、主語は「金正恩」、述語は「言った」であることが、会話の最後でようやく判明します。

もし、これが途中の「アメリカが～である」のところで編集で切られてしまったら（実際にはそういうことはあまりないと思いますが）、「金正恩が言った」ことが伝わりません。この会話の肝は「金正恩が何かを言った」という事実なのですが、それが消えてしまって伝わらないのです。

しかも、会話がもっと長くなると、さらに話がねじれてしまい、わかりにくくなる場合があります。

たとえば、この会話に「アメリカは世界の大国である」という情報を加える場合、英語的な話し方であれば、

「金正恩は言った＋アメリカは～である＋そのアメリカは大国である」

と付け足していくだけですから、形も比較的すっきりしていますし、聞いている側は順番に理解していけます。

補足ができる情報は後回しにして、重要なことをとにかく先に示し、筋が通る文章（会

話）として成立させているわけです。

ところがこれが日本語になると、

「世界の大国であるところのアメリカについて、～であると金正恩は言っている」

となり、やはり最後まで聞かないと意味の肝心なところが判明しません。

村上春樹さんの小説は、「英語的な日本語」で書かれていることが大きな特徴です。これは、村上さんがフィッツジェラルドなどの影響を受けていたり、翻訳家でもあったり、あるいは、ご自身の小説が最初から英語へ翻訳されることを前提としているため、意識してあのような文体で書いているからかもしれません。

一方、日本語の論理性については、最後まで結論が判明しにくいという点で、「論理的な表現とは相反する」と指摘する人もいます。

「論理的なプレゼンは要点から先に言う」

「論理的に話すには新聞のように話す」

と、この本の中で繰り返しお伝えしてきたことを、「日本語が論理的でないから」という理由で唱えている人もいます。

また、新聞方式という考え方の「重要なことは見出しに持っていき、後ろから切られても大丈夫」という点で比較しても、途中で話がさえぎられると意味が通じなくなってしまう日本語は「英語より論理的でない」と考える人も多いのです。

もちろん、そんなことはありません。大事なことから言うのは意識の問題です。日本語は複雑な論理も正確に表現できる豊かな言語です。使うわたしたちが「くっきり話す」ように意識することが大切なのです。

英語から邦訳した名文もありますし、日本語は日本の歴史の根底にある大事なわたしたちの文化です。過去に『声に出して読みたい日本語』（２０１５年／草思社）という本を書かせていただいたこともありますが、言語としての美しさについては誰よりも感じていると自負しているところです。

あくまで日本語の良さを感じながら、一方で「論理的に話すために英語的な話し方を試してみる」というスタンスも、ときには意識してみるといいのではないでしょうか。

個人のロジックと外交のロジック

個人同士に論理があるように、国同士の間にも当然ながら論理はあります。つまり、外交の論理です。

外交と個人の論理を同じ土俵では語れないという見方もありますが、ここではあえて、共通するという視点で見ていきたいと思います。

つまり、外交を理解するうえで、個人同士の会話と同じように考えてみると、理解しやすいという側面もあるのです。

基本的に国家の主張というのは膨張しやすい性質を持っており、その膨張し合う圧力でせめぎ合いながら、ぎりぎりの均衡を保っているのが国際外交です。

生放送の討論番組がありますが、司会者から話を毎回丁寧に振ってもらえるわけではありませんし、せっかくパネラーとして呼ばれても、ぼんやりしていたら何も喋らないで終わってしまいます。

頑張って他人の話に割り込んでも、話し終わらないうちに別の人からカットインされ、大きな声で「ガーッ」と主張されてしまえば、自分の意見を伝えきれません。

視聴者や制作スタッフに自分の存在感を示せなければ、次からは番組にも呼んでもらえませんし、視聴者からの評価も下がって、書いた本が売れないということにもなりかねません。

膨張しきれないまま終わることで、自分の社会的な評価や評論家としての商品価値を、最悪のレベルにまで引き落としてしまう可能性もあるわけです。

これがつまり、国際外交と共通する部分なのです。領土問題でも「話し合えばわかってもらえる」を繰り返しているだけでは、相手にどんどん入り込まれてしまいます。空母などを適切に配置することで存在感を示し、一定の膨張感を出していくことで、領土を守ることができるわけです。

この膨張感が暴走したのが、戦前の日本の関東軍だったわけで、膨張のラインを果たしてどこに引くかという判断自体が、国際的なプレゼンスの重要なポイントということになります。

実際、外交の論理とは、こうした力関係だけで決まっていくことが非常に多いのです。

日本が国際社会で一人前のメンバーとして認められ、列強の一員に数えてもらえるようになったのは、日露戦争によって強烈に存在感を示せたことが、ひとつの要因としてあったのは確かです。

その前の明治維新と言えば、まだ国際的には新入社員のような存在で、世界からは重要な役職や仕事を任せてもらうことはありませんでした。

もちろん、武力だけがプレゼンスの手段ではありませんが、外交の論理に「パワー」が必要であることは事実なのです。

「パワー」は論理を凌駕する

こうした中、北朝鮮が世界を何かとにぎわせながら、国際的な批判を浴びています。直接的には、日本、韓国、アメリカ、ロシアの4か国が、お互いに駆け引きや牽制《けんせい》をし合いながらも、それぞれの立場で北朝鮮と関わっています。

アメリカとロシアの関係性や、日本と韓国の関係性、さらには中国と日米の関係性など、様々なベクトルが飛び交うなか、「敵の敵は味方」という論理により、少なくとも日米韓にとっては「北朝鮮は対峙すべき国である」という共通の認識があるわけです。

中国が北朝鮮に、事実上の支援の手を差し伸べることに対しては、国際的な批判があります。

日本の論理としてみれば、影響力のある中国に対して「北朝鮮を助けるようなことはしてくれるな」という言い分になるわけですが、それを中国が強引にやってしまえる理由は、中国にそれだけの外交的な「パワー」があるからです。

このパワーバランスの関係を、個人間の問題に置き換えてみるとよくわかります。学校のクラスや部活動で、

・A君はクラスのジャイアン的な存在
・B君とC君は仲が微妙によくない
・でも2人で力を合わせることでA君に対峙している
・結果、B君とC君は適度に協力し合う関係になっている

つまり、A君の絶対的な「パワー」を前提に、B君とC君が妥協点を見つけつつ、バランスを保ちながら関係性を保っているということになります。あるいは

・A君はジャイアン的存在である
・B君とC君は仲が悪い
・B君はC君より優位な立場を保つためにA君に接近する

というケースもあるかもしれません。これもA君の「パワー」が重要なポイントです。実際このような関係性は現実社会にはよくあることだと思います。日本がアメリカの軍事力を味方につけているのも、この論理と基本的には同じことでしょう。

こうした基本を理解していると、実は世の中の多くのことは論理ではなく、パワーで決まっているという事実も見えてきます。

企画会議でも、「Aさんの企画はなぜかいつも通るのに、Bさんの企画ってなぜか通らないよね」というケースがよくありますが、これなどは企画の質というより、要因はパワーであることが往々にしてあるのです。

もちろん、「この人が話すと説得力がある」というのも一種のパワーです。その背景には人格的な信頼や、これまでの実績という要素もあるかもしれませんから、パワーの存在自体が悪いというわけではありません。

しかし一方で、パワーが論理とかけ離れた理不尽な存在として作用することがあるのも事実なのです。

「それは表向きの正論だろうけど、現実問題はさ……」という類の話というのは、このようにパワーで構造が支配されているようなケースがほとんどでしょう。

このパワーがもっとも剝《む》き出しになるのが、先ほどの外交もそうですが、つまりは政治の世界ということです。

政治の世界では、論理よりもパワーだけが存在している場合もあるのです。「君たちの言い分は論理的には理解できるんだけれど、今回はあの大臣がやるって言い張っているから仕方ないんだよ」というような話はその典型でしょう。

毛沢東は「政治は血を流さない戦争である」と言ったそうですが、パワー（権力）を握れなければ、自分の考えは「正論」にはならないとわかっていたのでしょう。

「論理的に正しいから自分の意見は通るはずだ」と考えるのは、少々単純と言えます。

「パワーの論理」が存在するという事実をわたしたちは忘れてはいけません。

北朝鮮にも正当性のロジックはある

こうしたパワーバランスの視点で北朝鮮を見てみると、いいか悪いかは別にして、実は〝かの国〟にも〝かの国〟なりの論理があるということが見えてきます。

というのも、北朝鮮にとってみれば、核を持つことが現体制が生き残るおそらく唯一の道であるからです。

核保有国として世界に認めてもらえさえすれば、もうそれだけで後戻りしなくていいポジションを国際社会で得たことになり、世界に対して存在感を示していくことができます。

誤解のないように確認をしておきますと、わたしは北朝鮮の立場を支持しているわけではまったくなく、むしろ大多数の日本人と同様に、批判的なスタンスです。しかし、今回は「論理」を掘り下げるという観点から、あえて北朝鮮の論理でものごとを見てみると、違った側面も見えてくるということをここでお伝えしているわけです。

その視点で言うと、北朝鮮は周辺国と核戦争をしたいわけではなく、核保有国として認められることによって、自国が侵されない存在になりたいと訴えていると考えることもできるのです。

核を持つことが「けしからん！」と世界は言いますが、実際には核拡散防止条約（NPT）を批准していない国の中では、パキスタンやインドも保有していますし、イスラエルも保有が確実視されています。また、イランも核開発をやめようとしていません。

北朝鮮の論理で言えば「なんであの国だけが」ということになりますし、アメリカなどの大国に対しては「そもそも、なんでおまえたちの大国だけがあたりまえに許されているんだ」という話にもなるのです。

アメリカの軍事関係者は、すでに何度も先制攻撃の可能性を示唆していますが、「よく考えたら、核を大量に持っている大国から、『おまえ、言うこと聞かないと先に攻撃するぞ』と恫喝《どうかつ》されている北朝鮮は窮鼠《きゅうそ》猫《ねこ》を嚙《か》むになりかねないな」「北朝鮮ばかり狂っているように言うけど、北にしたら体制崩壊の危機なんだから、必死になるのもわからないでもない」という見方も、視点をひとつ変えればあるわけです。

くどいようですが、北朝鮮の核実験をわたしが擁護しているわけではなく、あえて「北朝鮮の論理」で見るとそうなるということです。

北の核保有を世界が認める可能性はほとんどありませんし、それ以外の主張についても、今までのような滅茶苦茶なやり方では、世界からは決して信頼されず、国際世論の支持は絶対に集められないということも事実です。

パワーを知ればあきらめもつく

論理を超えたパワーというものの存在が確認できると、

「論理的に正しいことを言っているのになぜこんな目に遭うのか」

という、世の中に存在する理不尽で不条理な出来事への怒りやストレス、悲哀を軽減できるということがあります。

「政治力学じゃしょうがない」

「自分の実力が原因なわけじゃない」

「この業界ってそういうもんだよ」

と割り切ることで、早めに次の選択肢へ進むことができるわけです。

こうした論理の下にある力のうごめきに敏感でない人や、力の存在を頑なに認めたがらない人というのは、実は本当の意味での現実を理解できていないとも言えます。

さらに言えば、現実的な意味で効果的な論を唱えることができていないということでもあります。

力の存在を無視することで、論理を構築する方向性を誤ってしまうのです。昔から「書生論」といって、現実を無視して理論や理想に突っ走った議論しかできない知識先行型の人は、現実が理解できていない青二才として軽く見られてきたものです。

力の存在を受け入れられる感覚のことを、仮にここで「力のセンス（感覚）」もしくは「センス・オブ・パワー」と呼ぶとすると、力のセンスがない人は「現実が見えていない未熟な人」と見られてしまいます。

学校教育の場では、どちらかというとセンス・オブ・パワーに対して「センス・オブ・論理」が優先されます。学校で教わることと現実の社会の動きは同じではないわけです。

一方、医学の世界というのは、論理だけで構築されていると思われがちですが、研究に要する予算の獲得などには、とんでもないほどの政治的なパワーが求められることがあります。

ある医局では「A医大の出身者以外は人にあらず」というような、極めて理不尽なパワーが露骨に存在する世界でもあるのです。

いずれにせよ、わたしたちが論理の重要性を考えるとき、そこを超えた「パワー」の存在が論理を凌駕することもあるということ。その事実も含めて受け入れながら、現実社会の中で論理を固めていく必要があるということです。

「清濁併せ呑《の》む」を知る

A、B、Cという3つの立場があった場合、論理というのはAでもBでもCでも、どこのスタンスからも立てられるということは、すでに何度かこの本の中で述べました。広告代理店などで、
「当初はもっとも論理的で、合理性のある企画Aで進めていたんだけど、社内の政治力学で結果的に潰されちゃってね。となると、残る選択肢はBとCで、どっちがいいかと言えばBのほうがマシ。それでBで行くことにしたよ」

こういう判断が実社会には多いわけです。論理的に戦うこと自体が無意味という状況が、

我々の現実にあることは事実なのです。

世の中に厳然として存在する複雑な関係性を認め、嫌がらずに処置する。いわば「清濁併せ呑む」ということです。たとえれば

〈清＝論理〉

〈濁＝力〉

ということになるでしょう。

そういう意味では、論理と論理の戦いが日夜行われ、論理の象徴、まさに「ザ・論理」と見られがちな裁判という世界も、実は論理と無縁のあやふやな力学の存在が大きな前提となっています。

その一例が、アメリカにある「司法取引」というものです。裁判において、被告人と検察官が取引をし、被告人が罪を認めたり、共犯者を告発するなどして捜査協力をしたりすることで、求刑の軽減や罪状の一部取り下げをしてもらう制度です。

アメリカではほとんどの刑事裁判でこの司法取引が行われているといいますし、日本でも2018年に導入されています。

もともと日本の司法には「利益衡量《りえきこうりょう》」という考え方があります。すなわち、対立する2

つの利益を秤にかけて比較し、どちらがより大きな利益をもたらすかを判断の基準にして答えを求めるというものです。

たとえば、自治体が何かの施設を新しく造るときに、それを造ることで大きな公共の利益が期待できる一方、施設予定地の隣に住んでいる一軒だけが、「生活が脅かされる」という理由で猛反対しているとします。

先ほどの「A、B、Cのどのスタンスからも論理は立てられる」という理屈と同じように、自治体からも反対者からも、どちらの利益からも論理は立てられるわけです。

はたしてどちらに勝たせるほうが総合的に見ていいことなのか、裁判官は訴訟の過程でその判断をしなければなりません。

とはいえ、どちらにするにしても「こっちの利益のほうが大きいから、今回はこっちに勝たせとくね」などとは絶対に言えません。

そこで法的な知識を駆使して判決理由を添え、いわば後づけとも言える論理で判決に至った理由を説明するという場合もあるのです（裁判がいつもそうだというわけではありません）。

仮にこの傾向があまりに強くなると、世論の影響を受けた判決が乱発されてしまうことにもつながりかねないということです。

こう考えると、司法の世界が「ザ・論理」「論理の象徴」とは必ずしも言えないことがおわかりになるのではないでしょうか。

「根回し」も実は論理的

論理を学ぼうという人が、併せて「センス・オブ・パワー」も磨いていかないと、生活の中で論理力を生かすことができず、つまりは結果を出すこともできません。

結果に結びつかない論理は机上の空論であり、役に立たない実現性のない論理ということになってしまいます。

わたしたちに求められる基本姿勢とは、パワーの存在を知り、パワーと論理の関係性を理解したうえで、戦略的に話を展開させることです。それこそが真に論理的な思考であるということを知る必要があります。

結果を残せない空論しか展開できない人は、言い換えれば「論理の責任を負わない人」

です。論理を押し立てるだけで、結果に責任を負わないということでは、社会的には子どもっぽい考え方であるとして、高い評価を受けることはできません。

「論理的にはそうかもしれないけど、実際にそれをやったら大変なことになるよ」と指摘されたときに、「そんなのは知ったことではない。論理的には正しいんだ」というスタンスで突っ走る人は、俯瞰した総合的な判断ができない無責任な人と見られるでしょう。

そういう人は、たとえば「根回し」という行為に対してもネガティブなイメージしか持てず、企画会議で根回しをされると「なんてズルいことをするんだ」と憤慨してしまうことになります。

しかし、根回しというのはビジネスの場においては重要な戦略のひとつであり、むしろ根回しもしないで会議に出ようと考えていること自体、準備が致命的に足りてないということになります。

英語では根回しを、「lay the groundwork」という言い方をし、「groundwork」自体は「下地」などを意味します。全体的な意味としては

「下地を作る」

「土台を築く」

「基礎作りをする」

という重要な趣旨を持ちます。ネガティブどころか、根回しがあらゆる社会生活の場において不可欠なプロセスであることがわかります。

大人の社会で問題解決力のある人物として生きていける人とは、センス・オブ・パワーを身につけ、ときに清濁併せ呑み、仕事のうえでもしっかりと根回しや地固めができる人、現実と論理の距離感がしっかりとつかめている人ということが言えるでしょう。

実は論理は優しい

議論をするときに、相手の立場を考えず、矛盾点だけをひたすら責めて論破するやり方というのは、正しい、正しくないという以前に、人として成熟していない行為だとわたしは思っています。

現実の問題は机上で考えた物語よりもはるかに複雑であることが当然ですから、その複雑な部分を掬《すく》い取り、その上で現実的なプランの提案ができるかが重要なことだと思います。

仲間とのランチにたとえれば、あれを食べたい、これを食べたいと意見が分かれたときに、「じゃ、なんでも揃うファミレスにしようか」とか、「誰でも好きなカレーにしてみようか」とか、いわゆる落としどころを会話の中でも見つけてあげることが大事です。落としどころをピンポイントで探れるかどうかも、その人の論理力を測るうえで重要なことなのです。

相手の「A」という主張をひたすら批判し続けるのではなく、「Aは置いておいて、とりあえず代替案としてBはどう?」「BがいまいちならCは?」という具合です。

「前回は田中さんが希望したパスタだったから、今回はガッツリ系が好きな山田さんの意見を聞いて揚げ物でいこうか」というように、交互に落としていくのもひとつの案です。

わたしたちにとって大事なことは、論理で「争う」ことではなく、論理で「解決する」ことです。

そのためには妥協や妥結をする力、いわゆる「妥協力」「妥結力」というものが、人間関係ではとても大事なことなのです。妥結をしないと、世の中のほとんどのものごとは前に進んでいきません。

最高のものだけを追い求める人というのは、結果として何も得られないというケースが多いのです。

就活活動で失敗する学生の中にも、実力を無視して「超Aクラスの企業しか受けない」「都内キー局のアナウンサーでないと絶対嫌だ」という人がたまにいます。

本人は完璧主義者だと思っているのかもしれませんが、実際は現実を分析する論理力が不足しているという人は多いのです。現実との距離感を無視しては論理は成立しません。

現実との距離を常に意識し、ときには妥協を重ねて現実を見出していく。

大手商社だけでなく中堅企業やベンチャーも考慮に入れてみる、あるいはキー局の競争率が高すぎるのであれば、地方局も受けてみる。常に第二、第三のプランを持ってこられるかどうか。「ベスト」ではなく、「ベター」の繰り返しによって、もっとも「マシ」な選択をできるかどうかが人生では重要です。

このように、現実的な問題解決力、つまりは妥協力や中庸の概念を備えながら、論理という武器を正しく使えるかどうかで人生の流れは大きく変わります。

先ほどのランチのたとえもそうですが、相手の感情をくみ取るという行為も、相手の立場を理解する行為も、論理力があったほうがはるかに正しくできます。

論理という言葉を聞くと、「理詰め」「冷たい」「無機質的」といった、ネガティブなイメージを思い浮かべる方は多いかもしれませんが、実は人と人が円滑にコミュニケーションを図るうえで、とても重要な役割を果たしてくれる場合が多いのです。論理とは優しさなのです。

先入観やイメージだけで論理というワードに距離を置くのではなく、生活の中で論理力を正しく上手に使っていく。それには現実社会という修羅場の中で、様々な体験を通して論理力を鍛えていくということが、人生における判断としては重要です。

清濁併せ呑むタフな人間をめざして、世の中に出ていろいろなものに触れ合い、体感し、直観と閃きを磨きながら、論理力を鍛えて、豊かなコミュニケーションを築いていきたいものです。

齋藤 孝（さいとう・たかし）

1960年静岡県生まれ。明治大学文学部教授。東京大学法学部卒。同大学院教育学研究科博士課程を経て現職。『身体感覚を取り戻す』（NHK出版）で新潮学芸賞受賞。『声に出して読みたい日本語』（毎日出版文化賞特別賞受賞、2002年新語・流行語大賞ベスト10、草思社）がシリーズ累計260万部のベストセラーになり日本語ブームをつくる。著書に『読書力』『コミュニケーション力』『古典力』（以上岩波書店）、『理想の国語教科書』（文藝春秋）、『質問力』、『現代語訳 学問のすすめ』（以上筑摩書房）、『雑談力が上がる話し方』（ダイヤモンド社）、『齋藤孝の学び力』『勉強ギライが治る本』（宝島社）など多数。情報番組にも多数出演。

STAFF
装丁／藤牧朝子
本文DTP／株式会社ユニオンワークス
編集協力／浮島さとし

JASRAC 出 2402530-401

※本書は、２０１７年７月に小社より刊行した単行本『論理的な話し方の極意』を改題・改訂し、文庫化したものです。

宝島
SUGOI
文庫

頭がいい人の説明はなぜ伝わりやすいのか

（あたまがいいひとのせつめいはなぜつたわりやすいのか）

2024年5月21日　第1刷発行

著　者　齋藤 孝
発行人　関川 誠
発行所　株式会社 宝島社
〒102-8388　東京都千代田区一番町25番地
電話：営業 03(3234)4621／編集 03(3239)0928
https://tkj.jp
印刷・製本　株式会社広済堂ネクスト

本書の無断転載・複製を禁じます。
乱丁・落丁本はお取り替えいたします。
©Takashi Saito 2024
Printed in Japan
First published 2017 by Takarajimasha, Inc.
ISBN 978-4-299-05496-8